ZIN OM TE LEZEN

Mistral is een imprint van FMB uitgevers bv

Omslagontwerp: Oranje Vormgevers
Omslagbeeld: © Shutterstock
Auteursfoto: © Geert Snoeijer
Typografie en zetwerk: ZetProducties, Haarlem

ISBN 978 90 499 5234 1
NUR 301/305

www.uitgeverijmistral.nl
www.tinekebeishuizen.nl
www.twitter.com/Mistral_boeken

Meer weten over onze boeken?
Schrijf je in voor de nieuwsbrief op www.uitgeverijmistral.nl.

Hoofdstuk 1

De vrouw in de kist is mijn moeder. Uit dat tengere, bijna breekbare lichaam ben ik geboren.

Ik zoek haar gezicht af naar sporen van mezelf, en verbaas me over mijn kalmte, die op onverschilligheid lijkt. Zonder haar glimlach vallen de lijnen en rimpels om haar mond en ogen meer op dan toen ze nog leefde. Het waren haar ogen, nu verscholen onder wasbleke oogleden, die de eerste en meeste aandacht trokken. Grijs met een vermoeden van groen, een bergmeer op een bewolkte dag. Ogen om jezelf in te verliezen, heeft Rogier een keer gezegd, en daar keek ik wel even van op want zulke poëtische ontboezemingen van zijn kant waren ronduit verrassend, zeker nu ze betrekking hadden op mijn moeder. Hij zei ook nog dat ik haar ogen had, maar dat leek me meer een poging om de zaak weer recht te trekken.

Ik leg mijn hand op de handen van mama, die in elkaar gevouwen ter hoogte van haar buik liggen. Ze nemen niet de warmte van mijn hand over, maar delen hun kilte met mij.

Aan de telefoon vertelde oma over haar gierende, naar zuurstof snakkende adem voordat de ambulance kwam en een zuurstofmasker haar het zwijgen oplegde. Toen de brancard haar, bonkend tegen een deurpost, het huis uit droeg, wist ze dat haar dochter er nooit meer in terug zou keren.

Achter me hoor ik een deur opengaan.

'Jasses, wat is het hier koud!' zegt oma.

5

'Had je iets anders verwacht?' vraagt opa.

Ik hoor hun voetstappen naderen, maar ik keer me niet om.

Ze blijven iets achter me staan.

'Ben je hier al lang?' vraagt oma.

'Gaat wel,' zeg ik.

Ik laat mijn vingers over de stroeve koele huid van mama's hand glijden. In mijn blikveld verschijnt de gerimpelde met levervlekken bedekte hand van oma, die onhandig de haren van mama streelt.

'Ach, m'n kind toch!' Ik hoor tranen in haar stem. 'Je hebt het ook allemaal niet cadeau gekregen.'

'Mij wel,' zeg ik.

'Moet je daar echt nu over beginnen?'

Ik draai me om en kijk naar haar gezwollen, rode oogleden. Wat zou het heerlijk zijn om te kunnen huilen zoals zij, om hoe dan ook íets te voelen. Maar er zit een grote koude klont op de plek van mijn hart, en ik draai me om en loop naar de deur.

Rogier zei dat ik moest gaan. Dat ik het mezelf nooit zou vergeven als ik geen afscheid van mama zou nemen.

'Ik heb er geen zin in,' zei ik.

'Niemand heeft zin in zoiets. Maar ze is wel je moeder, Lot!'

'Daar had ze dan weleens eerder aan kunnen denken. Welke moeder verdomt het om aan haar kind te vertellen wie haar vader is? En dan nu zeker bij haar kist staan janken. Ik ben niet voor niets thuis weggegaan!'

Maar ik weet dat hij gelijk heeft. Dat ik een jaar lang niet thuis ben geweest, niets van me heb laten horen, en niet gereageerd heb op de briefjes die mama bleef sturen, is steeds zwaarder op me gaan drukken. Maar net zo koppig als mama was in het niet noemen van die ene naam, was ik in het geen contact meer willen totdat ze hem zou noemen.

En toen belde oma. Eerst om te zeggen dat mama in het ziekenhuis was opgenomen. Toen dat het ernstig was. Daarna dat ze dood was. Een treurige drietrapsraket.

Ze vroeg niet of ik kwam. Achter de mededeling waar mama opgebaard lag volgde een veelzeggende stilte.

'Dank je, oma,' zei ik. En ik legde neer.

Ik zal niet ouder dan een jaar of vijf geweest zijn toen ik voor de eerste keer naar mijn vader informeerde.

'Waarom heb jij geen papa?' had een buurmeisje gevraagd, en ik gaf de vraag door aan mijn moeder.

Haar antwoord was kort en afdoende. 'Hij is dood,' zei ze.

Het gaf me een trots gevoel. Mijn vader stond me weliswaar nooit bij school op te wachten zoals andere vaders deden, maar ik had er wel degelijk eentje.

Het duurde lang voordat ik weer met een vraag kwam.

'Mijn opa staat op het kastje, met bloemen en een kaars. Waar staat jouw vader?' zei een vriendinnetje dat voor het eerst bij ons thuis kwam.

Pas toen realiseerde ik me dat er geen foto's van mijn vader in huis stonden. Ik vroeg ernaar en mijn moeder gaf net iets te snel antwoord: 'Ik word verdrietig als ik ernaar kijk.'

'Ik wil papa zien,' zei ik.

Een week later, toen ik thuiskwam uit school, stond er een foto van een aantrekkelijke jonge man op het lage mahoniehouten kastje in de woonkamer. Een ijl glazen vaasje met een roos ervoor en een waxinelichtje ernaast. Mama moet de compositie knarsetandend samengesteld hebben.

De foto voegde iets belangrijks toe aan mijn leven. Iemand die tot dan toe een grote onbekende was geweest, bleek ineens een gezicht te hebben. Als mama niet in de buurt was, nam ik de foto in mijn handen, waarna ik met samengeknepen ogen elk onderdeel

van het mannengezicht bekeek. Zijn ogen die me bekend voor-
kwamen, omdat ik ze elke dag ontmoette als ik in de spiegel keek.
De zware wenkbrauwen, de stevige neus. Zijn mond was gul, een
lach in de mondhoeken. Een eigenwijze kin. Een man met wie
niet te spotten viel. Een vader die problemen kon oplossen. Ik
voelde dat ik op hem leek. Als mama en ik het ergens niet over
eens waren, wist ik dat dat kwam door de genen die de man op de
foto me had meegegeven.

Tien jaar later zag ik mijn vader vanaf de heup schietend op een
paard zitten. Het filmhuis draaide vroege films van John Wayne;
ik was met tegenzin meegegaan met een vriendje. In het donker
van het filmzaaltje doemde ineens levensgroot de man op van wie
ik zo vaak een foto in mijn handen had gehouden.

Onderuitgezakt en lamgeslagen realiseerde ik me dat het niet
het bedrog van mama was dat er zo inhakte, maar de gemakzucht
waarmee ze genoegen had genomen met de eerste de beste foto
waar ze de hand op had kunnen leggen. In haar ogen was ik kennelijk iemand die makkelijk te bedriegen was, en ik wist niet voor
wie van ons beiden dat het meest beschamend was.

Pas later heb ik me de andere kant van het verhaal gerealiseerd.
Tien jaar rozen in een vaasje zetten en waxinelichtjes branden
voor een acteur van wiens films ze niet eens hield... Haar moeder-
liefde ging ver.

De ontmaskering van John Wayne maakte geen merkbare indruk op haar. Ik kwam thuis van het filmhuis, waar ik met samengeknepen lippen en een brok in mijn keel de film had uitgezeten,
liep de kamer in zonder haar te groeten, pakte de foto, liep ermee
naar de prullenmand en liet hem erin vallen. Het glas voor de foto
spatte uit elkaar. Ik draaide me om, liep terug naar de lege plek op
het kastje en blies het waxinelichtje uit.

Mama keek toe vanuit haar rolstoel, waarin ze volgens haar zeggen prettiger zat dan in een gewone stoel, het boek dat ze aan het lezen was omgekeerd op haar schoot, haar gezicht vriendelijk belangstellend terwijl ik bezig was met iets dat voelde als vadermoord.

'Was het een leuke film?' vroeg ze.

Dat ik haar op dat moment haatte, heb ik niet gezegd, maar ik denk dat ze het in mijn ogen heeft gezien. Ze haalde licht haar schouders op, pakte het boek en las verder.

Ze kon het als geen ander: negeren wat haar niet beviel. Altijd vriendelijk, altijd die zachte stem, altijd het zwijgen over wat ze niet kwijt wilde. Ik kon er niet tegen, maar of ik nou gillend op de grond stampte of hysterisch huilde, het maakte niet uit. Als mama besloten had ergens niet over te praten, liet ze geen woord meer los.

Zo moet dat lang geleden ook gegaan zijn, toen oma en opa haar ten einde raad met rolstoel en al een paar dagen in haar kamer opsloten in de hoop dat ze dan zou vertellen wie haar zwanger had gemaakt.

'Ze kwam er net zo glimlachend uit als ze erin was gegaan,' zegt oma. 'En die naam hebben we nooit te horen gekregen.'

Net zomin als iemand haar ooit – en dat moet ik haar nageven – ook maar één woord van verwijt heeft horen uiten jegens de zak die erin was geslaagd haar zwanger en in een rolstoel te krijgen.

Hoofdstuk 2

Nu ik haar koud en weerloos op het witte satijn in de kist heb zien liggen, wil ik ook de rest meemaken. De afronding van haar leven.

Rogier is verrast als ik zeg waar ik naartoe ga.

'Ik ga mee!'

Hij heeft zijn jack al aan voordat ik iets heb kunnen zeggen. Ik zou trouwens ook niet zo gauw weten wat. Ik ken niet veel mensen, en van die paar is Rogier de enige die mama een paar keer heeft ontmoet.

'Een tof wijf!' zei hij goedkeurend na de eerste ontmoeting.

Daar moest ik over nadenken. Mijn moeder een tof wijf; dat was niet zoals ik haar zag. In mijn ogen was ze een klein invalide wijfie, dat met allure in haar rolstoel zat. Maar een tof wijf?

'Natuurlijk was ze dat,' zegt Rogier terwijl ik de Mini door het verkeer laveer met Rogier gelaten naast me. Hij is een scooterrijder die slalommend zijn weg door de stad zoekt. Bij hem achterop zitten staat in mijn ogen gelijk aan een zelfmoordpoging. Hij vindt dat ik rijd als een bejaarde die door omkoperij zijn rijbewijs heeft kunnen houden. Commentaar geeft hij niet, maar zijn gezucht elke keer als ik rem terwijl ik in zijn ogen nog net voor die jonge moeder met kinderwagen langs had gekund, spreekt boekdelen.

'Heb je geen bloemen?' vraagt hij.

'In de achterbak.'

Want nu ik besloten heb naar haar crematie te gaan, wil ik ook alles wat erbij hoort. Ik heb felrode rozen uitgezocht, een boeket als een ode aan de liefde en het leven. En aan mijn moeder die om haar handicaps heen leefde en nooit haar optimisme verloor.

'Natuurlijk zat jouw moeder boordevol plannen. Maar toen ze eindelijk het huis uit kon, kwam ze zwanger in een rolstoel terecht. Weg toekomst!' zegt Rogier, die kennelijk behoefte heeft aan een grafrede.

'Wat konden jouw oma en opa nou anders doen dan haar in huis nemen? Niet alleen voor háár maar vooral voor jou. Moesten ze hun huis gaan aanpassen, terwijl ze net aan het idee begonnen te wennen dat ze voortaan konden doen en laten wat ze wilden. Vind je het gek dat jouw oma daar moeite mee had? Ze deden het voor jou, hoor. Net zoals je moeder het voor jou deed. Ze had best iets kunnen bedenken om zelfstandig te wonen, maar dit was de enige manier om jou een behoorlijke jeugd te geven en dat wist ze verdomd goed.'

'Goh, wat een opoffering!' zeg ik, terwijl ik de Mini het bijna lege parkeerterrein van het crematorium op rijd.

'Dat bedoel ik!' zegt Rogier.

Ik zet de motor af en kijk opzij.

'Nog even en ik ga huilen. Je kunt wel merken dat je schrijver bent.'

Natuurlijk is het me niet ontgaan. Hoe kan het anders, als je met z'n vieren op elkaar gepropt zit in een niet al te groot huis, met te dunne muren? De verwijten van oma horen bij mijn vroegste herinneringen. Ik kan als kind al het verschil in de klank van haar stem onderscheiden als ze tegen me praat, of tegen mama, en als ik wat ouder ben herken ik het in haar gezichtsuitdrukking. Mama verandert in de aanwezigheid van haar moeder. Het lijkt alsof ze nog kleiner wordt, om fysiek zo min mogelijk op te vallen.

Als ik in bed lig, hoor ik vaak boze woorden van oma, met die hoge stem die ze altijd opzet als ze het ergens niet mee eens is. Ik vang woorden op die ik niet begrijp en flarden van zinnen.

'Dacht je dat wij ons zo'n leven hadden voorgesteld?' hoor ik haar een keer schreeuwen.

Als ik de kalmerende stem van opa hoor, weet ik dat het nu snel weer rustig zal worden beneden, maar het ergste moet dan nog komen: het ingehouden snikken van mama in het bed naast het mijne.

Jarenlang is zij de enige geweest die ertoe deed.

Alles wat ik had aan liefde was gericht op die tengere vrouw die haar klein formaat rolstoel snel en behendig door de ons toebedeelde woonkamer laveerde waarin bijna geen meubels stonden en die samen met onze slaapkamer de enige privéruimte was die we hadden.

Als ze niet in haar rolstoel zat, bewoog ze zich onhandig en moeizaam met behulp van haar krukken. Ze haatte het contact van haar schoenen met de grond, de energie die het haar kostte om op deze manier haar lichaam te verplaatsen, maar het was beter voor spiergroepen die anders nooit meer gebruikt zouden worden. Mij maakte het niet uit hoe ze zich voortbewoog, als ze er maar was. Wat ik voor haar voelde grensde aan aanbidding.

Hoe ver mijn herinneringen aan haar teruggaan, weet ik niet. Er zijn momentopnamen, vaag als een gezicht in een beslagen spiegel. Ik val en word opgetild, ik huil en word getroost. Er is de geborgenheid van mama's armen, de geur van haar parfum.

De kleinste aula van het crematorium is nog veel te royaal van afmeting – en van de acht aanwezigen ken ik er drie niet, familieleden van wie ik me niet herinner dat ze ons ooit hebben bezocht.

Ik stel me aan hen voor. Twee achternichten uit Hoogeveen met wie opa af en toe schriftelijk contact heeft en een oom die lang in het buitenland heeft gewoond en bij terugkomst in Nederland met de dood van mama verrast werd toen hij opbelde om de familiebanden aan te trekken.

Over zijn schouder heen zie ik Rogier handen schudden met oma en opa, allebei in het zwart. Zelf heb ik gekozen voor mijn rode colbert op een zwarte broek die strak zit en net boven mijn laarsjes eindigt.

Ik zie oma kijken. Haar blik glijdt langs mijn outfit, die ongetwijfeld door haar volstrekt onaanvaardbaar voor de gelegenheid wordt gevonden. Maar mama hield van kleur en toevallig is zij hier vanmiddag de hoofdpersoon.

Rogier komt naast me staan.

'Ben ik nu wees?' vraag ik.

'Zou kunnen.'

Ik hoor de verbazing in zijn stem.

Oma zit ongegeneerd hard te snikken. Dat ze van mama hield heeft ze zo lang ik haar ken verpakt in nijdige opmerkingen, maar nu is het niet langer nodig om de schijn op te houden.

Opa heeft dat nerveuze kuchje waarmee hij altijd zijn ontroering probeert weg te werken.

En ik voel niets. Er staat een kist op het podium, met mama erin en bloemen erop. Een groot boeket van oma en opa, en mijn rode rozen, die het zonlicht vangen dat door het hoge raam achter het podium naar binnen valt en de rozenblaadjes doorschijnend maakt.

De muziekkeuze is aan de mensen van het crematorium overgelaten. Oma en opa malen niet om muziek en het geeft in de ogen van oma geen pas om mama's lievelingsmuziek van Brel te draaien, alhoewel 'Ne me quitte pas' wat mij betreft behoorlijk toepasselijk zou zijn geweest. Nu luister ik met tegenzin naar verantwoorde crematiemuziek die me niet raakt, terwijl ik van de kist met mama erin naar de deur van de aula kijk.

Het geeft me een schok als de kist zakt. Ergens onder deze aula moet de ruimte zijn waarin datgene gaat gebeuren waarom we hier zijn. Muziek, bloemen en tranen in de bovenwereld. Een oven met een helse temperatuur eronder. Daarin zal mama worden geschoven. Daarna zal haar as bij elkaar geveegd en in een speciale bus gedaan worden, gereed om uit te strooien. Maar niet door ons. Voor zover ik weet heeft oma niet eens gevraagd wanneer datgene wat van mama over is aan de wind zal worden meegegeven.

Als oma tussen twee slokken koffie door 'Goddank dat het voorbij is' zegt, is dat geen uiting van ongevoeligheid. Net zomin als haar te verwijten valt dat ze nog maar eens met de koektrommel rondgaat. Ze is praktisch ingesteld. Voorbij is voorbij, en in dit geval hoeft daaraan ook niet getwijfeld te worden.

Voordat we naar huis gingen, hebben we in een hoekje van de aula een eerste kop koffie gedronken met een plak cake erbij die goudgeel glansde en die volgens de tekst op het erop geplakte ouweltje gebakken was in eigen oven – een mededeling die me op de rand van een hysterische lachbui bracht.

Nu staar ik voor me uit, zonder ook maar de minste moeite te doen de pijnlijke stiltes op te vullen die steeds vaker in het gesprek vallen. Maar misschien wordt dat ook niet van me verwacht. Ik ben immers de dochter die nu wees is, of misschien ook niet; maar in elk geval het kind van een dode moeder en een onbekende vader.

Om die vader heb ik met ruzie het huis verlaten waarin ik ben opgegroeid. Ik weet niet waarom het ineens zo'n punt voor me werd: de vader die ik nooit gekend heb, maar die een rol in mijn leven zou kunnen spelen als mama eens een keer haar mond open zou doen.

Vastbesloten bleef ik dezelfde vraag herhalen: 'Ik wil weten wie mijn vader is!'

Totdat ze kwaad werd. Het is de enige keer geweest dat ik haar zo heb meegemaakt en het verbaasde me tot hoeveel volume dat kleine lichaam in staat was. 'En nu is het afgelopen. Je houdt verder je mond dicht, hoor je me!'

Ik hoorde haar. Ik liep naar onze gemeenschappelijke slaapkamer en gooide blindelings wat kleren in een weekendtas. Tien minuten later viel de voordeur achter me dicht. Mama heb ik daarna nooit meer levend teruggezien.

Pas op de avond van de crematie heb ik aan Rogier mijn fantasie durven vertellen: dat mijn vader op mysterieuze wijze achter mijn bestaan gekomen was en de crematie van mijn moeder als gelegenheid had gekozen voor een hereniging met mij. Ik vertel het lachend, na te veel glazen goedkope rode wijn, in onze woonkamer die het formaat bezemkast nauwelijks overstijgt.

Onze flat is zelfs voor twee mensen aan de kleine kant; het is een tijdelijk onderkomen, totdat we geld hebben voor iets dat ons echt bevalt, en dat we daarom gevuld hebben met spullen uit de kringloopwinkel. Wie privacy wil trekt zich terug in de slaapkamer, zoals Rogier doet wanneer hij aan zijn script werkt. Het wordt een televisieserie van dertien afleveringen, vol spanning en romantiek, en gespeeld door de beste acteurs van Nederland.

'Met een goede acteur wordt een zwakke scène sterk, maar door een zwakke acteur wordt zelfs de sterkste scène verpest' is een favoriete uitspraak van hem. Hij is ervan overtuigd dat zijn serie – uiteraard een aaneenschakeling van sterke scènes – met kop en schouders zal uitsteken boven wat er over het algemeen op dit gebied op tv te zien is. Dat hij nu al een paar maanden bezig is met het schrijven en herschrijven van de eerste aflevering kan hem niet schelen. De investering in tijd zal uiteindelijk resulteren in succes en geld, daarvan is hij overtuigd.

Ik durf niet te zeggen dat ik heel wat minder zeker ben van zijn toekomstige succes dan hij. Af en toe lees ik wat hij geschreven heeft, en natuurlijk weet ik ook wel dat een goede acteur een tekst behoorlijk kan opleuken, maar er moet dan wel een basis zijn om iets van te maken en die kan ik met geen mogelijkheid ontdekken in de stuntelige dialogen waarover hij zelf zo tevreden is.

In afwachting van de grote doorbraak leven we van zijn inkomsten als nachtportier in een hotel en de mijne als uitzendkracht op de advertentieafdeling van de plaatselijke krant, waar ik voor een zwangere medewerkster inval.

Het werken voor een uitzendbureau bevalt me wel: tegen de tijd dat een job voorspelbaar en saai wordt, zit ik alweer ergens anders. Alleen maak ik me soms zorgen over mijn gebrek aan ambitie. Ik zou ergens op gefocust willen zijn, er alles voor over willen hebben om een doel te bereiken, maar ik zou werkelijk niet weten wat.

Terwijl ik Rogier mijn fantasie vertel alsof het een ijzersterke grap is, blijft zijn gezicht ernstig, een frons tussen zijn wenkbrauwen. Oké, ik weet dat hij me doorheeft, maar het zal me een zorg zijn. Als je niet eens meer kunt lachen omdat je hoopte je vader te ontmoeten terwijl je moeder op het punt stond in as te veranderen, wat is er dan nog wél grappig? Dus vertel ik zonder me door hem uit het veld te laten slaan dat ik mijn ogen niet van de deur van de aula af had kunnen wenden, ervan overtuigd dat hij elk moment zou kunnen verschijnen, en wij elkaar zouden herkennen zodra onze ogen elkaar zouden ontmoeten.

'En dan?' vraagt hij. 'Jullie ogen ontmoeten elkaar, en dan?'

Maar daar heb ik geen antwoord op, want tenslotte is hij wel de man die mijn moeder heeft laten zitten en mijn bestaan heeft genegeerd.

Hoofdstuk 3

Ik ben zevenentwintig. Toen mijn moeder zevenentwintig was, zat ze al bijna acht jaar in een rolstoel en had ze een kind voor wie ze de naam van de vader halsstarrig verborgen hield. In haar voordeel werkte dat ze in elk geval tegen mij niet met het smoesje van geheugenverlies aan kwam zetten. Aan de andere kant maakte dat het juist onverteerbaarder voor mij. Maar zij had op die leeftijd ten minste geleefd, terwijl mijn leven in feite pas is begonnen toen ik een jaar geleden het huis uit ging en bij Rogier introk.

De directe aanleiding was de ruzie met mama, maar Rogier speelde een minstens even grote rol. Hij was het soort ruwe bolster waarmee ik nooit eerder kennis had gemaakt, en het bleek opwindend te zijn om veroverd te worden door een man die zich nergens voor geneerde, en alleen al daardoor een welkome afwisseling vormde met het ingeslapen leven dat ik thuis leidde. Met een 'hij voelt zich thuis bij mij' drukte ik mijn gêne weg om zijn onbekommerd boeren en winden laten, alhoewel dat maar een tijdelijke oplossing bleek te zijn. Iemand kan zich tenslotte ook uit de markt boeren.

Maar zeker in het begin beviel het samenwonen met hem me meer dan ik had verwacht.

Dat ik zo lang thuis was blijven wonen had te maken met trouw en schuldgevoel, heeft Rogier me uitgelegd. Zo ingewikkeld had ik het zelf nooit bekeken. Als collega's er verbaasd een opmerking over maakten, hoefde ik alleen maar met valse bescheidenheid te zeggen dat mijn moeder invalide was. Met die opmerking kwam ik automatisch terecht in de categorie Florence Nightingale en Moeder Teresa. En met halve heiligen moet je behoedzaam omgaan. Mij beviel dat wel.

Getrouwde collega's die al bij de eerste ochtendkoffie op de versiertoer waren, lieten mij met rust. Hun belangstelling ging uit naar vrouwen met wie ze probleemloos mee naar huis konden gaan. Ik was wat dat betreft een slechte investering, met een thuisfront dat bestond uit twee grootouders en een invalide moeder. Van de gedachte alleen al werd een beetje man impotent. Wat mij wel goed uitkwam.

Op mijn afdeling, waar ik de hele dag bezig was telefonisch opgegeven advertenties in te korten en er de prijs van te berekenen, heb ik nog nooit een man ontdekt die me interesseerde. Mijn oudere collega's hopen de rit uit te kunnen zitten en de jongeren zien het werk als een tussenstation waar ze zo snel mogelijk weer vandaan moeten zien te komen, iets waar ik absoluut vóór ben, maar waar ik in mijn geval geen moeite voor hoef te doen, omdat het uitzendbureau dat regelt.

Na mijn eindexamen havo spoorde mama me aan om zo snel mogelijk werk te zoeken. Met mijn verdiensten kon ik een bijdrage leveren en zou oma haar doorlopende toespelingen op ons als kostenfactor misschien matigen. Het uitzendbureau was een uitkomst. En geheel volgens mijn aard ben ik ook daar langer blijven hangen dan ik van plan was.

Rogier heeft er natuurlijk weer een simpele psychologische verklaring voor. Mijn leven is volgens hem één lang wachten op de kans om te ontsnappen. Aan mijn grootouders, aan mijn moeder, aan de druk die altijd op me heeft gelegen, aan de onzekerheid over mijn afkomst, aan werk dat me verveelt. Thuis weggaan was mijn eerste geslaagde uitbraakpoging, en volgens hem een moedige. Je laat een invalide moeder niet makkelijk alleen en volgens zijn theorie heb ik de ruzie met mama gebruikt om van haar los te komen.

'Een band die zo nauw is kan alleen maar met geweld doorbroken worden,' zei hij.

Niemand zal me trouwens horen zeggen dat ik een slechte jeugd heb gehad; daarvoor was de liefde van de drie volwassenen om me heen voor mij te tastbaar. Maar het was wel een jeugd waarvan de grenzen zo duidelijk aangegeven waren en de gevolgen van grensoverschrijding zo angstaanjagend dat ik toch wel mag spreken van een zekere beperking van mijn mogelijkheden.

Oma slaagde erin me voor bijna alles bang te maken. Haar waarschuwingen logen er niet om: de mens is van nature slecht en de meeste mensen die aardig lijken zijn in werkelijkheid wolven in schaapskleren. Om dat te benadrukken knipte ze kleine berichten uit het dagblad die ze voorlas als we aan tafel gingen, zoals er in andere huizen gebeden wordt voordat de maaltijd begint: 'Vrouw gewurgd in haar woning', 'Man dood aangetroffen in het park', 'Echtpaar zwaargewond bij overval', 'Meisje verkracht op weg van school naar huis'. Mama zat erbij met een spottende uitdrukking op haar gezicht, al onthield ze zich van commentaar. Maar ik nam oma's woorden in me op en het resultaat was dat ik elke avond voor het slapengaan uit pure angst een controlerondje door het huis maakte. Zijn de ramen dicht? Is de buitendeur op slot?

Oma en opa prezen mijn verantwoordelijkheidsgevoel, maar mama moest er alleen maar om lachen. 'Ach kind, als iemand je kwaad wil doen, gebeurt het toch wel.'

Ik voelde me meer aangesproken door de boodschap die oma uitdroeg: dat de wereld niet deugt, maar dat ik in dit huis veilig was zolang de ramen goed gesloten waren.

Ik was dertien en brugklasser op de havo toen ik haar strengste gebod overtrad: blijf uit de buurt van jongens!

Op een schoolfeest, waar ik na veel bidden en smeken naartoe mocht, en dat alleen nadat oma zich persoonlijk drie keer door de mentor had laten verzekeren dat er streng gesurveilleerd zou worden door de docenten, liet ik me door een jongen die Okke Haverman heette meetronen naar het fietsenhok.

Ik had geen idee wat hij van me wilde, maar dát hij iets wilde was al voldoende om me gevleid te voelen. Want oma – zo gaan die dingen – kon met alle waarschuwingen die ze over me had uitgestort niet voorkomen dat ik weleens wilde weten waarvoor ik eigenlijk zo bang zou moeten zijn.

Wat ik van jongens wist, ging niet verder dan haar waarschuwingen. 'Ze doen lief en aardig zolang ze hun zin nog niet hebben gehad, maar daarna laten ze je vallen als een vod papier!' Bij deze woorden hoorde een bezwerend geheven hand die niet geheel toevallig richting mama wees. 'Geloof ze niet en vertrouw ze niet. Kijk naar je moeder; dan weet je wat er gebeurt als je je met jongens inlaat!'

Het was het enige onderwerp waarover mama het met oma oneens durfde zijn. 'Hou toch eens op met dat kind bang te maken!'

'Hoor wie het zegt!'

Waarna mama haar rolstoel zwijgend en met een verbeten trek om haar mond de keuken uit wielde.

Maar die avond op het schoolfeest, toen ik met een paar vriendinnen bij de deur naar het schoolplein met veel aanstellerig gepraat en gelach zogenaamd een luchtje stond te scheppen, pakte Okke Haverman in het voorbijlopen mijn arm beet, en ik liet me giechelend en jaloers nagekeken meenemen naar het fietsenhok, waar hij een naar cola smakende mond op de mijne drukte, te hard in mijn borsten kneep en zijn hand in mijn onderbroek wurmde, waarbij hij 'Lekker nat' zei nog voordat hij ter hoogte van mijn navel was beland.

Daarna doken we weg achter de bromfietsen omdat de voetstappen en het zaklantaarnlicht van een surveillerende docent naderden. Achter diens rug renden we de veilige school weer binnen, waar mijn vriendinnen gretig informeerden hoe het was geweest, en ik nonchalant antwoordde: 'Ach, gewoon, je weet wel.'

'Wanneer ga je wat doen?' zegt Rogier een paar dagen na de crematie. 'Zo lang ik je ken, speelt die mysterieuze vader van je al een hoofdrol in je leven. Wanneer ga je nou eens op zoek naar die man?'

Hij heeft gelijk. Mijn onbekende vader is de reden dat ik mijn moeder zonder bondgenoot heb achtergelaten in het huis van haar ouders, en er nooit meer ben teruggekeerd. Het wordt zo langzamerhand tijd dat ik de volgende stap zet.

Misschien hebben niet alle mensen van wie een ouder onbekend is, er last van. Maar ik wel, en ik ben niet de enige, gezien de televisieprogramma's die gebaseerd zijn op het opsporen van onbekende vaders en moeders.

Al heel lang ben ik ervan doordrongen dat weinig dingen belangrijker voor me zijn dan erachter komen wie me heeft verwekt. Was het de jongen die mama op een mooie zomeravond achter op een gestolen brommer mee uit nam, slipte en er lopend vandoor ging, haar bloedend en in coma naast de brommer op straat achterlatend? Oma heeft me een keer dat verhaal verteld toen ik vroeg hoe het kwam dat mama in een rolstoel zat, maar ik kon het niet geloven, het was te gruwelijk.

Mama zag meteen dat er iets met me aan de hand was, en er was niet veel voor nodig om me aan het praten te krijgen. 'Dus ze heeft het toch aan je verteld!'

Ik kon zien dat ze kwaad was. Maar toen ik vroeg of het verhaal van oma dan niet waar was, zei ze dat het klopte.

'Dus je weet bij wie je achterop zat?'

Ze boog zich weer over haar boek – haar manier om een gesprek te beëindigen.

De jongen die ervandoor ging nadat mama van de brommer was geslingerd, kwam er dankzij mama's zwijgen wonderbaarlijk goed vanaf.

'Wie?' vroeg de politie aan haar ziekenhuisbed.

'Wie?' vroegen mijn oma en opa.

Ze zei dat ze het zich niet meer herinnerde en bleef daarbij, al was er niemand die haar geloofde. Maar nu ze er niet meer is om me tegen te werken, ben ik vast van plan om eindelijk de antwoorden op mijn vragen te vinden.

Hoofdstuk 4

De Antoniusstraat is niet moeilijk te vinden. Hij ligt in het oude centrum, een buurt waarin ooit veel te doen was, maar die sinds de aanleg van de nieuwe rondweg en het fantasieloos opgetrokken winkelcentrum veranderd is in stilstaand water. Hier huizen in aangepaste bedrijfspandjes starters op de woningmarkt, die er wegens gebrek aan doorstroming te lang blijven zitten, waardoor er meer kinderwagens en driewielertjes dan auto's voor de smalle voordeuren staan.

Maar drukkerij Harmelen – 'Van oudsher uw drukker' – zit nog steeds in hetzelfde pand waar mama ooit haar baantje heeft gehad. Opa was niet meer zeker van de naam. Als hij al verbaasd was over het feit dat ik informatie vroeg over iets dat met het verleden van mama te maken had, liet hij dat niet merken. Net zomin als hij verbazing toonde over mijn onaangekondigde komst. Ik zat aan de keukentafel en dronk de thee die oma inschonk. Alles was zoals het jarenlang wel en daarna een jaar lang niet meer geweest was, en zoals ik verwacht had kwam er geen commentaar op.

Hartog, Harmsen – opa kwam er niet uit, maar toen ik met de bedrijvengids in mijn hand vroeg of het misschien Harmelen kon zijn, wist hij het ineens weer. Dat was inderdaad de naam van het drukkerijtje waar mama werkte in de periode dat ze het ongeluk kreeg. Achtentwintig jaar geleden, bijna op de dag af.

Wat ze daar deed wist hij niet meer, maar veel bijzonders kon het niet geweest zijn. Ze was net van school, had geen zin om verder te leren, al was ze er intelligent genoeg voor. Misschien had opa haar kunnen overhalen het toch te doen, maar oma stond er niet achter, en alles waar oma niet achter stond ging niet door. Dat was dus kennelijk toen al zo.

'Een soort manusje-van-alles,' denkt hij hardop. 'Ze volgde in die tijd wel een schriftelijke opleiding bedrijfsadministratie, en met een computer omgaan kon ze ook, maar ik weet niet meer of ze daar bij die drukkerij nog veel aan gehad heeft.'

'Thuis in elk geval wel,' zegt oma. 'Met thuiswerk heeft ze tenminste nog wat kunnen verdienen, anders hadden wij helemaal voor alles op kunnen draaien. Maar veel was het natuurlijk niet. Een behoorlijke bijdrage aan het huishouden heeft er nooit in gezeten.'

'Harmelen is het dus,' zegt opa.

Het negeren van ongewenste teksten had mama niet van een vreemde.

Ik heb niet gebeld dat ik in aantocht ben. Wat ik ga vertellen is al absurd genoeg, net zoals de vraag die erop volgt: of er nog iemand in het bedrijf werkt die zich mijn moeder herinnert van achtentwintig jaar geleden. Het is een verhaal dat ik liever vertel aan iemand die ik kan zien dan aan een stem door de telefoon.

Als ik alleen had gewoond, zou ik het hele idee trouwens allang hebben laten varen. Maar Rogier keek met een frons op van zijn computer toen ik een beker koffie op het kleine werkblad in de slaapkamer zette en vroeg wanneer ik nu eindelijk eens van plan was te vertrekken.

'Je hebt toch niet voor niets een vrije middag genomen?'

Dus heb ik met tegenzin onze flat verlaten.

Het is zo'n voorjaarsdag die twijfelt tussen zonnig, bewolkt en regenachtig. De weertypen wisselen elkaar af. Wolken verschijnen en worden weer weggeblazen; banen zonlicht die tussen de daken door een stuk straat belichten zijn alweer verdwenen voordat je ze goed en wel hebt opgemerkt. Als ik door de Antoniusstraat loop, voel ik een paar druppels.

'Gauw naar binnen, het gaat regenen!' hoor ik een moeder tegen haar kind op een driewielertje snauwen, en ik haat haar op slag om de manier waarop ze haar nietsvermoedende peuter naar de voordeur sleurt.

De deur van nummer 47 laat zich moeiteloos openduwen. Al op straat heb ik het keiharde metalen gekletter van een ouderwetse drukpers gehoord. Misschien nog uit de tijd dat mama hier werkte, en als dat zo is moet ze dagelijks ditzelfde geluid gehoord hebben.

Ik sta op de kale ongeverfde vloer. De herrie van de drukpers vult mijn oren en voor zover ik kan zien is er niemand aanwezig. Een receptie is er niet. Wel een tafel met een stapel beduimelde prospectussen erop en twee houten stoelen erachter.

Ik loop aarzelend in die richting en merk pas dat ik niet alleen ben als ik op mijn schouder getikt word. Ik draai me om en kijk in het gezicht van een man die niet veel ouder kan zijn dan ik. Glad halflang haar, een lok half voor zijn ogen. Ik liplees meer dan dat ik hem versta wanneer hij vraagt waarmee hij me kan helpen, en ik maak een hulpeloos gebaar. Hoe kan ik in deze herrie praten over een moeder die zwanger en invalide raakte in de periode dat ze hier werkte?

'Nog vijf minuten en de pers stopt,' zegt de man op weer die luide toon, en hij wijst naar het tafeltje. Hij loopt terug naar de ruimte die door machines aan het oog is onttrokken, en ik ga aan het tafeltje zitten, trek een van de boeken naar me toe en bekijk de letters waaruit je moet kiezen als je een opdracht voor drukwerk wilt plaatsen.

De onverwachte stilte heeft als bizar effect dat ik op dat moment pas last van mijn oren krijg. Ik druk er mijn wijsvingers een paar keer op en zie de man van zo-even op me af lopen, terwijl hij over zijn schouder blijft praten tegen iemand die ik niet kan zien.

Zijn jeans zit als gegoten, op zijn polo staat het Armani-logo en zijn ogen zijn vriendelijk belangstellend als hij zijn hand uitsteekt en 'Rob' zegt.

We gaan aan de tafel zitten.

'Zeg het eens.'

Ik begin mijn verhaal, en zonder vragen te stellen laat hij me uitpraten. Als ik klaar ben zegt hij hoofdschuddend dat het stof is voor een boek, en dat hij wilde dat hij me kon helpen. Maar deze drukkerij is pas vijf jaar in zijn bezit, al draagt die nog steeds de oorspronkelijke naam.

'Een uit de hand gelopen hobby,' voegt hij er verontschuldigend aan toe. 'Weinig klanten, nauwelijks inkomsten, maar een heleboel plezier.'

De man van wie hij hem kocht was ook maar een paar jaar eigenaar geweest, en hoe het daarvoor zat weet hij niet. Hij heeft geen idee of meneer Harmelen, de oprichter en naamgever van de drukkerij, nog leeft, maar zelfs dan is het nog maar de vraag of er iets van de personeelsadministratie over is. 'Je kunt dus alleen maar hopen dat hij zich nog een meisje herinnert dat hier een blauwe maandag gewerkt heeft.'

Aan zijn gezicht zie ik dat hij evenmin als ik in die mogelijkheid gelooft. Hij kijkt fronsend voor zich uit terwijl hij met een afgekloven potlood op tafel tikt. 'Achtentwintig jaar geleden. Jammer dat je moeder kennelijk nooit namen van collega's of vriendinnen uit die tijd heeft genoemd.'

Ik zwijg. Wat heeft het voor zin om te vertellen dat het die geslotenheid is geweest die ons uiteindelijk uit elkaar heeft gedreven?

Vanuit het andere deel van de drukkerij wordt zijn naam geroepen.

'Ik kom!'

Hij staat al. 'Sorry. Schrijf je telefoonnummer op, voor als me nog iets te binnen schiet.' Hij schuift een blocnootje en een balpen naar me toe.

Nog voordat ik mijn naam heb opgeschreven ratelt de drukpers alweer.

Hoofdstuk 5

'Oké,' zegt Rogier, 'dus je bent niets opgeschoten. Wat had je dan verwacht? Dat je één vraag stelt en dat het meteen bingo is?'

Ik hang landerig onderuit in de enige luie stoel in de woonkamer. Lui omdat de vering gedeeltelijk is ingezakt, waardoor je er alleen maar half liggend gebruik van kunt maken.

'Dan moet je nu je volgende stap plannen,' zegt Rogier als ik geen antwoord geef. 'Je moet het aanpakken alsof je een script schrijft voor een serie. Het verhaal over het leven van je moeder. Daar gaat tijd in zitten, maar *so what*?'

Ik haal mijn schouders op.

'In elk geval moet je zeker weten of die Harmelen nog leeft en zich iets herinnert. Je hebt bijna geen aanknopingspunten, dus wát je hebt moet je uitpluizen. En heb je al eens met je grootouders gepraat over de mensen met wie je moeder voor het ongeluk omging?'

'Alsof die erop zitten te wachten dat ik daarover begin,' zeg ik.

'Misschien juist wel. Als je je vader vindt, kunnen zij mooi wat centen bij hem claimen. Ze hadden het toch altijd over de kosten?'

'Tjonge,' zeg ik, 'dat is nog eens een binnenkomer als ik die man ooit ontmoet. "Pa, ik ben je dochter en hier is de rekening!"' Maar natuurlijk is het zo'n gek idee nog niet, om eens met oma over mama's verleden te praten.

Oma snuift. 'Je moeder was niet in het gareel te houden. Ze had het ene vriendje na het andere; werd er gebeld, dan stond er weer zo'n jongen voor de deur die je nooit eerder had gezien. Je kon zeggen wat je wilde, waarschuwen, ruziemaken, straf geven, maar ze ging haar eigen gang. Als we haar in haar slaapkamertje opsloten, klom ze door het raam naar buiten. Geen land mee te bezeilen! Tot die avond dat de politie ineens voor de deur stond. Ik heb altijd gezegd dat het nog eens fout zou aflopen, en dat gebeurde eerder dan ik had verwacht.' Er klinkt iets van triomf in haar stem. Ze heeft toch maar mooi de ondergang van haar eigen kind voorspeld.

Ik luister gefascineerd en ik kan zien dat het haar bevalt dat er zoveel aandacht voor haar verhaal is. Toen ik nog in huis woonde, was ik mama's bondgenoot, en niet de aangewezen persoon om over haar te roddelen. Nu deelt oma maar wat graag haar geschiedenis met mij: die van de moeder die er niet in slaagde een dwarsliggende dochter voor onheil te behoeden.

Alles wat ze zegt, zuig ik in me op. Nooit heb ik mijn moeder anders gezien dan als een vrouw in een rolstoel die, als het zo uitkwam, haar kwetsbaarheid uitspeelde. Aan haar leven vóór het ongeluk heb ik tot nu toe nauwelijks een gedachte gewijd. Het is het ongeluk zelf, als theatraal hoogtepunt van wat zich in de maanden ervoor afgespeeld moet hebben, waar mijn aandacht altijd naar is uitgegaan. Maar op deze regenachtige voorjaarsmiddag wordt me in de keuken van oma een beeld geschetst van een meisje dat iedere jongen die ze wilde hebben nonchalant om haar vinger wond en weer liet vallen met hetzelfde gemak als waarmee ze hen veroverd had.

'Ze was heel mooi,' zegt oma. 'Ze had een goede man kunnen krijgen. Trouwen. Kinderen. Maar zij was op avontuur uit, het leven mocht vooral niet saai zijn. Is het niet komisch dat je dan in een rolstoel eindigt, met een kind zonder vader?' Ironie is haar manier om verdriet op afstand te houden.

Opa komt de keuken binnen. Het kan niet anders of hij heeft de laatste zin gehoord, maar hij reageert niet, en oma houdt zo abrupt op met praten dat het lijkt alsof de stopknop van een recorder wordt ingedrukt.

Maar ik neem het risico niet dat er van onderwerp veranderd wordt. Oma kan dan wel denken dat ik hier ben voor een nostalgische terugblik op mama's leven, maar in werkelijkheid ben ik uit op zo veel mogelijk nuttige informatie. 'Heb je geen foto's van mama? Zoals ze toen was?'

'O, jawel,' zegt ze. 'Maar daar mocht niet meer naar gekeken worden. Je moeder wilde niet herinnerd worden aan de tijd voor het ongeluk. Daar kon ze niet tegen.'

'Ik wil ze zien.'

'Is goed,' zegt oma.

Ze loopt naar het fornuis en tilt het deksel van de soeppan op.

De geur van bouillon vult de keuken.

Met de foto in mijn handen speur ik naar details van herkenning.

Een peuter in een wandelwagentje die eruitziet als een prinsesje, met blonde krulletjes en een stralende lach. Ernaast staat oma, die toen al wist dat dit haar enige kind zou blijven; daarover had haar gynaecoloog geen twijfel laten bestaan. Vanaf dat moment was mama het middelpunt van haar leven.

Dat de wereld om haar gezinnetje heen ook niet stilstond, ging grotendeels aan haar voorbij. In mijn middelbareschooltijd leerde ik er meer over dan zij zich ervan herinnert, terwijl het in haar tijd voorpaginanieuws was.

John Kennedy werd vermoord. De Vietnam-oorlog, die onder zijn presidentschap was begonnen en voortgezet werd door zijn opvolger Lyndon Johnson. De toespraken van Martin Luther King en de Ku Klux Klan, die zwarte burgers vermoordde die van hun nieuw verworven burgerrechten gebruik wilden maken.

'Wat een spannende tijd was het toen, oma!' heb ik een keer tegen haar gezegd.

Ze keek me aan alsof ik gek was.

'Kind, ik had wel wat anders aan mijn hoofd,' zei ze bijna verontwaardigd.

'Mama had toch wel vriendinnen, oma?' Deze vraag naar aanleiding van de foto die genomen is in het jaar dat ze eindexamen deed. Ik lijk niet op haar, moet ik spijtig constateren. Maar ze is duidelijk een dochter van oma, die net zo'n verbluffende schoonheid geweest moet zijn in haar jonge jaren. Zelfs nu mag ze er nog zijn, al doet ze nauwelijks iets aan haar uiterlijk.

Opa houdt niet van opgemaakte vrouwen. Misschien dat hij zich dan nog onooglijker gaat voelen, want ik kan me nauwelijks voorstellen dat hij nooit heeft beseft hoe onopvallend hij is, en hoe groot het contrast met een mooie vrouw als oma, die ook nog eens een kop boven hem uitstak. Wat oma in hem zag zal ik nooit te weten komen. Het is niet het soort vraag waarmee je je populair maakt in dit huis, en evenmin een voor de hand liggende mededeling.

Ik kijk van oma weer terug naar het hartvormige gezicht met de donkerblonde krullen eromheen, de grote ogen met de lange wimpers en een mond zoals Julia Roberts heeft. Geen wonder dat ze iedere jongen kon krijgen, zoals oma het laatste halfuur al drie keer heeft gezegd. Maar haar leven kan niet alleen om jongens gedraaid hebben. De meeste meisjes hebben vriendinnen om hun geheimen mee te delen – waarom zou mama daar een uitzondering op zijn geweest?

'Hoe zou ik nu nog weten wie haar vriendinnen waren?' zegt oma. 'Ik ben geen encyclopedie. Ik ken er maar één, Hedwig, maar die heeft je moeder pas veel later ontmoet. Die ken je toch ook? Verder zou ik het niet weten.'

Maar nu komt opa in actie. Hij zit tegenover ons aan de keukentafel. Zijn opengeslagen krant bedekt een aantal van de foto's en tot nu toe heeft hij zich niet in ons gesprek gemengd.

'Er was ene Alice met wie ze erg dik was toen ze nog op school zat. Weet je dat niet meer?'

'Nee,' zegt oma, 'en ik vind het raar dat je die naam nog weet.'

'Alice,' zegt opa. 'Alice in Wonderland. Zo'n naam vergeet je niet.'

Oma, die ik nog nooit met een boek heb betrapt, kijkt hem niet-begrijpend aan, maar laat het er verder bij.

Tante Hedwig noemde ik haar.

Haar halflange rode haar kamde ze achter haar oren, waar ze het vastzette met grote schuifspelden van een glanzend materiaal, waarvan ze de kleur aanpaste bij de kleren die ze droeg. Als ze met mama naar de schouwburg ging, waren de spelden altijd zwart met glinsterende nepdiamantjes en had ze haar bril daaraan aangepast.

Ze was lang en slank; ik denk dat ze het ideale mannequinfiguur had. En verder was ze aardig en sterk. Het eerste straalde ze uit, het tweede merkte ik door de manier waarop ze mama met rolstoel en al bracht waar ze wilde zijn. Geen moeite was haar te veel. In zomerse weekends gingen we naar een safaripark, het strand of het openluchtbad, waar mama geparkeerd werd onder een schaduwrijke boom, met een grote tas koele drankjes en proviand, terwijl tante Hedwig en ik het water in doken.

Ze had samen met mama een abonnement op een serie toneelstukken in de schouwburg. 'Met je moeder ben ik zeker van een topplaats!' zei ze altijd, want in de schouwburg mochten mensen met een rolstoel en hun begeleider in een loge zitten, omdat daar voldoende ruimte was. Ze haalde mama op voor de maandelijkse bijeenkomst van het leesclubje en bracht haar naar de bibliotheek.

Als mama eens in de paar weken naar het bedrijfje moest waarvoor ze thuis de administratie deed, was tante Hedwig degene die haar bracht en haalde. Ik weet het niet zeker, maar het zou me niet verbazen als ze rekening had gehouden met het vervoeren van een rolstoel toen ze een nieuwe auto kocht.

Ze verwende mama met bloemen en kleine cadeautjes, die mama in ontvangst nam als een prinses die niet beter weet dan dat zoiets haar toekomt. Een glimlach, een blik van genegenheid en soms even haar hand op de arm van tante Hedwig.

We brachten regelmatig weekends bij haar door, iets waarop ik me mateloos verheugde, omdat ze een grotere televisie had dan wij en een bank waarop ik mezelf kon oprollen terwijl ik naar een leuke film keek. Thuis was zoiets onmogelijk. Niet alleen omdat we geen bank hadden, maar ook omdat je er donder op kon zeggen dat oma het kwam bederven als er iets leuks op de televisie was. Zonder kloppen stond ze ineens in de deuropening, een misprijzende blik op het beeld gericht. Haar tot niemand in het bijzonder gerichte 'Heb je niks beters te doen?' was genoeg om ons plezier de kop in te drukken.

Bij tante Hedwig was zoiets niet aan de orde. Die was dol op films en had een kast vol video's. Bij haar zag ik *Casablanca* met Humphrey Bogart, *Wuthering Heights*, *Jane Eyre* en alle vroege films met John Malkovitch, die ze als de beste acteur *ever* beschouwde. Stiekem hoopte ik dat ik later net zo'n vrouw zou worden als zij, wars van conventies, open en hartelijk en genietend van het leven. Maar ik had liever mijn tong afgebeten dan dat te zeggen, want het voelde als verraad om niet mijn moeder als rolmodel te kiezen.

Ik denk dat ik een jaar of twaalf was toen tante Hedwig in ons leven kwam, en toen al behandelde ze me als een volwassene met wie ze gesprekken voerde over het leven en de liefde, over wat ik later wilde worden en hoe belangrijk het is voor een meisje om zelfstandig te zijn. Toen ik de eerste keer dat we bij haar logeerden de deuren en ramen controleerde voordat we gingen slapen, zei ze tegen me dat ik me niet moest laten aanpraten dat mensen niet deugen.

'Iedereen deugt, totdat het tegendeel bewezen is.'

Met mama voerde ze gesprekken die ik vaak niet kon volgen – over boeken en schrijvers, over mannen en over solidariteit van vrouwen onderling, een woord dat zo vaak gebruikt werd dat ik het opzocht, omdat ik eindelijk weleens wilde weten wat het betekende.

'Waarom niet?' hoorde ik haar een keer bijna wanhopig vragen. 'Je weet dat ik ruimte genoeg heb voor jullie. Ik zal je heus niet overlopen. Als er iets is dat ik respecteer, is het privacy.'

Een andere keer vroeg ze aan mij, toen we in het lauwe water van het buitenbad een beetje loom aan het dobberen waren, hoe ik het zou vinden om met mama bij haar te komen wonen. Mij leek het wel wat: een groter huis, een eigen kamer, een auto en al die haarspelden die ik vast wel zou mogen lenen.

Op een keer, toen ik onverwacht beneden kwam omdat ik me niet lekker voelde, zag ik tante Hedwig voor mama geknield zitten, haar hoofd in mama's schoot. Ze huilde, en mama streek kalmerend over haar haren, zoals ze zo vaak bij mij had gedaan als ik verdriet had. Ik denk niet dat tante Hedwig gemerkt heeft dat ik in de deuropening stond, maar mama keek over het hoofd in haar schoot heen naar mij en glimlachte dat kleine lachje, terwijl ze bijna onmerkbaar haar schouders ophaalde.

Niet lang daarna was het voorbij. Geen tante Hedwig meer, en evenmin de leesclub of de bezoekjes aan de bieb. Nooit in mijn leven heb ik iemand zo intens gemist. Het voelde alsof er een grijze sluier op ons leven neerdaalde, die van elke saaie dag een kopie maakte van de voorafgaande. Dat er zo rigoureus een streep gezet werd onder alles wat met tante Hedwig te maken had, was heel erg mama. En de oorzaak van de breuk belandde zoals alles wat met haar te maken had in de kluis van haar zwijgzaamheid. Achteraf besef ik dat toen de kiem werd gelegd die het jaren later mogelijk maakte het huis en mama de rug toe te keren.

Hoofdstuk 6

Het voicemailbericht van Rob is een welkome onderbreking op een ochtend waarop ik het te druk heb gehad om koffie voor mezelf te halen. Het lijkt nu de lente is begonnen alsof half Nederland op zoek is naar een partner om gezellig samen dingen mee te ondernemen. Een gouden tijd voor de krant, maar ik ben na zo'n dag wee van alle mensen die zichzelf de hemel in prijzen in de hoop dat een ander erin zal trappen. Af en toe stelde ik me een eerste ontmoeting voor: het buikje en de rimpels, de onzekere lach en de hoop op mededogen.

De stem van Rob, met het gekletter van de drukpers op de achtergrond, brengt me terug in de realiteit.

'Zeg, ik ben het nog eens nagegaan, maar die ouwe Harmelen leeft nog. Ik weet alleen niet of hij nog aanspreekbaar is. Zijn vrouw nam op en daar kwam ik niet veel verder mee.'

Ik noteer het telefoonnummer en het adres dat hij opgeeft voordat hij de verbinding verbreekt. Het betekent een nieuw aanknopingspunt waarmee ik verder kan op mijn speurtocht. Het andere aanknopingspunt is tante Hedwig, die weliswaar pas jaren na het ongeluk een rol in mama's leven ging spelen, maar die misschien toch een nieuw licht op de zaak kan werpen. En dan is er natuurlijk de Alice in Wonderland over wie opa het had, en dat ligt een stuk moeilijker. Vooral omdat oma en opa niet meer weten of ze uit de drukkerijtijd stamt of van daarvoor, toen mama nog op school zat. Ook dat is een vraag die ik aan de oude Harmelen wil stellen.

Als ik 's avonds zijn nummer bel, zegt een vrouwenstem achterdochtig: 'Hallo?' Ik noem mijn naam en voeg eraan toe dat ze me niet kent. Haar 'O?' klinkt weinig toeschietelijk.

'Er is iets dat ik graag persoonlijk aan uw man zou willen vertellen,' zeg ik.

Ze zwijgt.

'Over mijn moeder, die indertijd bij uw man in de drukkerij werkte,' voeg ik er zonder veel hoop aan toe. Ik weet niet of het geluid dat ik hoor een kuchje is of een cynisch lachje, maar in elk geval wordt het gevolgd door de ingesprektoon.

Als ik die avond nog een paar keer bel, wordt er niet meer opgenomen.

Het lijkt me geen goed idee om een wantrouwige oude vrouw 's avonds als het donker is te confronteren met iemand die ze niet kent en die met een raar verhaal aan komt zetten. Dus moet ik overdag aanbellen, zodat ze me op haar gemak kan bekijken en hopelijk goedkeuren, en de komende zaterdag is daarvoor de beste dag.

Rogier bekijkt me aandachtig vanuit de luie stoel als ik hem mijn plan vertel. Hij gunt zichzelf tijdens het schrijven regelmatig denkpauzes die van belang zijn voor de voortgang van zijn serie, en hij vult ze door herhalingen van programma's te bekijken die hij 's avonds door zijn werk heeft gemist.

'Ik zou je binnenlaten, als ik je niet kende. Je straalt absoluut iets betrouwbaars uit,' zegt hij bemoedigend.

Ik betrap mezelf erop dat ik het moeilijk vind om nog een paar dagen te moeten wachten. Mijn vader vinden heeft iets urgents gekregen in mijn bestaan.

De huizen in het laantje waar het echtpaar Harmelen woont kosten op dit moment meer dan de gemiddelde huizenkoper kan uitgeven, maar ooit waren het doodgewone middenstandswoningen, met een tuintje voor en achter en een indeling die even praktisch als fantasieloos is. In deze straat geen driewielers en kinderfietsjes, maar de kleine zuinig rijdende auto's, zonder uitzondering glanzend schoon, die in korte tijd de markt hebben veroverd en genoeg ruimte bieden voor een echtpaar op leeftijd.

De Harmelens houden kennelijk van rozen. De kleine voortuin is ermee volgeplant. Ze staan zij aan zij, hun sensuele bloemen en zwellende knoppen gericht naar de middagzon.

Het duurt lang voordat er op mijn bellen wordt gereageerd. De vrouw die opendoet houdt met één hand de deur vast; het is niet duidelijk of ze steun nodig heeft of hem snel wil kunnen sluiten.

'Ja?'

Ik herken de stem. Ik noem mijn naam, zonder mijn hand uit te steken omdat ik ervan overtuigd ben dat de vrouw die niet zal aannemen. 'Ik heb u van de week gebeld. Ik wil graag met uw man praten over mijn moeder, die dertig jaar geleden bij hem in de drukkerij werkte.'

Ze neemt me van hoofd tot voeten op, zonder dat haar gezichtsuitdrukking verandert. Ik begrijp dat er meer tekst van me verwacht wordt, maar in elk geval heeft ze de deur nog niet dicht gedaan, en dat geeft moed.

'Mijn moeder is kortgeleden overleden en ik weet bijna niets van haar. Van vroeger, bedoel ik. Ik hoop zo dat uw man misschien nog iemand weet die met mijn moeder omging, een vriendin of zoiets, iemand met wie ik over haar kan praten.'

Nu zijn we allebei stil. Zij omdat ze kennelijk niet zo'n prater is en ik omdat ik tot mijn verbazing hoorde dat mijn stem oversloeg toen ik zei dat mama dood is, alsof die mededeling voor mezelf nieuw en schokkend was. En zo staan we zwijgend tegenover elkaar terwijl op straat auto's voorbijrijden en een paar tuinen verderop een moeder haar huilende kind troost.

Dan komt er beweging in de voordeur. Ik vergis me niet. Langzaam gaat hij een stukje verder open, en de vrouw doet een stap opzij.

Ik aarzel. Betekent het dat ik binnengelaten word?

'Ik ben de zuster van meneer Harmelen,' zegt ze. 'Hij doet zijn middagslaapje, maar ik ga hem zo uit bed halen.'

Ze gaat me voor naar een kamer die vol staat met grote, sombere meubels, en wijst me een fauteuil aan waarin ik diep wegzak. De koelte van het leer dringt aan alle kanten door mijn dunne voorjaarsjurk heen.

'Straks krijgt u thee,' zegt ze, waarna ze verdwijnt.

Ik kijk om me heen, en doe het spelletje dat ik graag speel in een omgeving waarin ik voor het eerst ben: als ik zou mogen kiezen, wat zou ik dan mee naar huis willen nemen? In deze ruimte ben ik snel klaar. Er is niets wat mooi of zelfs maar aantrekkelijk genoeg is om van zijn plaats te halen. Ik zucht en kijk naar de dof geworden koperen sierspijkers in de leren meubelen om me heen.

Ergens boven in huis hoor ik gestommel en stemmen. Dan voetstappen die tergend langzaam de trap af komen. Harmelen blijft lang in de deuropening staan, terwijl hij zijn kleine, waterige ogen op me richt.

'Daar zit ze, Jan. Dat is de mevrouw die met je over vroeger wil praten.'

'Ja, ja.'

Hij leunt zwaar op een bruine, kennelijk handgesneden stok, die eruitziet als een kurkentrekker, en schuifelt in mijn richting. Zijn zuster pakt zijn arm, verandert zijn koers en leidt hem naar de stoel naast de mijne. Daar gaat hij zitten, zijn knieën gespreid, zijn handen op de wandelstok ertussen.

'Wat wilt u weten?'

Dat is het mooie van de oude dag: hoe hoger de leeftijd, hoe minder tijd er aan plichtplegingen wordt besteed. Oude mensen zijn niet gek: als elke minuut waarde heeft, ga je er niet nonchalant meer mee om.

'Iets over mijn moeder,' zeg ik.

'Hoe heet ze?

'Annet.'

Zoals altijd voelt het vreemd om de voornaam van mijn moeder uit te spreken. Moeders hebben geen andere naam nodig dan 'mama', een woord dat een unieke band beschrijft. Gewone voornamen maken van een moeder een gewone vrouw die door iedereen benaderbaar is.

'Annet...' herhaalt de oude man. 'En we hebben het nu over...?'

'Dertig jaar geleden.'

Zijn zuster is naar de keuken verdwenen en komt terug met een dienblad met een theepot en kopjes erop. Ze zet het op de lage tafel, die van donker hout is, met een brede glimmende rand die op koper lijkt, en schenkt in.

'En u denkt dat ik nog weet wie er dertig jaar geleden bij me in de zaak werkten? U geeft me een groot compliment, mevrouw. Maar ik kan me net zomin ene Annet herinneren als wie dan ook.'

Hij pakt zijn kopje op – de vloeistof schommelt in zijn bevende hand gevaarlijk dicht naar de rand – en neemt een slok.

Het duurt lang voordat het kopje weer op de lage tafel is beland, maar zijn zuster noch ik steken een hand uit om hem te helpen. Theedrinken hoort duidelijk bij de handelingen die hij zelfstandig moet verrichten.

'Het spijt me, kind, maar ik kan je niet verder helpen.'

Ik drink mijn thee zo snel mogelijk op, en weiger het Mariakaakje dat me aangeboden wordt. Ik ben al bij het tuinhek als ik word teruggeroepen.

'Mijn broer herinnert zich iets.'

Het fotoboek moet onder uit een kast komen, het is dik, met een leren omslag en een roodzijden kwastje dat uit de rug bungelt.

'Er was een feestje. We bestonden twintig jaar, voorjaar 1982 was dat, als ik het me goed herinner. Bij die gelegenheid is er een groepsfoto genomen. Het zou kunnen dat je moeder daarop staat.'

Ik kijk vanuit mijn stoel mee als de bevende hand tergend langzaam bladzij na bladzij van het grote fotoboek omslaat.

'Ah, hier!' Hij wijst op een grote foto, maar ik zie vanaf mijn plaats alleen dat er een groepje mensen dicht bij elkaar staat. 'Kijk zelf maar even.'

Het boek is te zwaar voor hem, maar ik slaag erin het nog net voordat het uit zijn handen glijdt van hem over te nemen.

Het groepje is niet groot, hooguit vijftien mensen. Harmelen herken ik, doordat hij in het midden van de voorste rij staat. Een knappe man, die eruitziet alsof hij zich daar terdege van bewust is. Ik laat mijn ogen langzaam over de gezichten van de vrouwen glijden. De jongste moet ik hebben. Mama kan niet veel ouder dan achttien geweest zijn.

Ik voel een diepe teleurstelling als ik haar niet meteen herken en opnieuw tast ik met mijn ogen elk vrouwengezicht op de foto af, maar nu langer en aandachtiger, en ineens zie ik het hartvormige gezichtje omringd door krullen. Hoe kan het me ontgaan zijn? Sprakeloos staar ik naar mijn moeder. Gefotografeerd in het jaar waarin ze op een zomeravond achter op een brommer klom. De gedachte is onafwendbaar: zat ik al in haar buik toen de foto genomen werd?

Ze kijkt niet recht in de lens, maar een beetje schuin naar het meisje naast haar, dat lacht om iets dat mijn moeder kennelijk tegen haar zegt.

In een ingeving kniel ik met het fotoboek naast de oude man. Ik ruik kleren die te lang niet gelucht zijn en een lichaam waarvan je zelfs met zeep de geur van ouderdom niet weg kunt wassen. 'Dat meisje, weet u daar misschien de naam van?'

Hij kijkt lang en schudt ondertussen zijn hoofd. 'Namen...' zegt hij, 'namen...'

'En de rest,' zegt zijn zuster vanuit haar stoel.

Ze kan niet meer dan een paar jaar jonger zijn, maar oogt vergeleken met hem als één brok energie.

'Mijn broer is moe. U moet nu echt gaan,' zegt ze.

Ik heb de foto na lang soebatten meegekregen. In het winkelcentrum kan ik hem kopiëren. Daarna zal ik hem meteen terugbrengen.

Zijn zuster bleef erop tegen, ook toen de oude man met bevende hand met een klein zakmesje de foto lossneed van de pagina. 'Zie je wel, dat het papier beschadigd is!'

'Daar komt straks de foto weer overheen.'

Ze blijft vijandig naar me kijken. Ik weet zeker dat ze er spijt van heeft dat ze me thee heeft gegeven.

De groepsfoto van het jubileum ligt op de keukentafel. Eerst bekijkt oma hem. Zwijgend, terwijl ze haar lippen op elkaar klemt. Als dat moment van ontroering voorbij is, wordt ze weer haar gewone zelf.

'Die jurk heb ik nog voor haar vermaakt,' zegt ze. 'Hij was te lang. Ze wilde haar rokken altijd korter hebben. "Benen moeten gezien worden," zei ze dan.'

'Dat zei ze om jou op de kast te krijgen,' zegt opa.

'Maar ondertussen moest wel de schaar erin.' En terwijl ze zich weer over de foto buigt: 'Dat is Lies daar, naast Annet! Díé ken ik wel. Haar achternaam had iets met een rivier te maken. Bedoel je haar soms met je "Alice"?'

Opa trekt de foto naar zich toe. 'Ik heb haar nooit anders genoemd. Alice in Wonderland. Zei je "Lies" tegen haar? Daar weet ik nou niks meer van.' En tegen mij: 'Haar vader is verongelukt op de dag voordat je moeder negentien werd. Hij stak over en werd doodgereden door een vrachtwagen die door rood licht reed. We zouden naar de Chinees gaan die dag, en daarna naar de film. Met Alice erbij. Maar dat ging toen niet door. Je moeder heeft haar hele verjaardag zitten huilen. We hebben haar pas een dag later haar cadeau gegeven.'

'En het geld van de kaartjes hebben we niet teruggekregen,' voegt oma eraan toe.

'Wat was haar achternaam, opa, weet je dat nog?'

Maar hij heeft geen idee. Dat van die rivier zegt hem niets. Het enige dat hij zich nog kan herinneren is dat ze aan de andere kant van de stad woonde.

'Waarom zouden we het ook onthouden hebben? Na het ongeluk heeft ze nooit meer iets van zich laten horen. Zo'n Alice in Wonderland was het!' sneert oma.

Het is de week waarin ik elke avond na mijn werk rechtstreeks naar oma vertrek om haar te helpen met het opruimen van mama's spulletjes, het legen van laatjes en kasten, beslissingen nemen over de bestemming van al die zaken die nutteloos en overbodig zijn geworden nu de bezitster ervan niet meer leeft.

Er zijn weinig dingen die ik niet al veel eerder in mijn handen heb gehad tijdens mijn zoektochten naar aanwijzingen die naar mijn vader konden leiden. Een brief. Een document. Een foto. Mijn handen hebben tussen en onder haar lingerie gewroet, haar sjaals heb ik stuk voor stuk uitgeschud en weer opgevouwen, en niet alleen achter de boeken in haar kast maar ook tussen de pagina's heb ik gezocht.

Op een middag – ze was met de taxi voor controle naar het ziekenhuis – vond ik boven in een la een A4'tje met de tekst: *Hou er nu eens mee op!* Mama's subtiele manier om aan te geven dat ze ergens genoeg van had.

De rolstoel is drie dagen na haar dood al weggegeven.

'Wat moesten we met zo'n sta-in-de-weg?' zegt oma. 'Verderop in de straat woont iemand met zo'n krakkemikkige rolstoel, die was er dolblij mee, en wij hoefden er niet langer tegenaan te kijken.'

Al lang geleden ben ik opgehouden me af te vragen of oma er ooit weleens over nadenkt hoe haar woorden op andere mensen overkomen. Op mij, bijvoorbeeld. Ik had afscheid willen nemen van die stomme stoel. Waarschijnlijk zou ik er even in zijn gaan zitten, met mijn ogen dicht, mijn handen op de bovenkant van de wielen. Niet met mama's nuffige leren handschoentjes aan met openingen boven elke knokkel, zoals wielrenners dragen, want haar handen waren kleiner dan de mijne. Die handschoentjes heb ik trouwens wel kunnen redden. Ze liggen in de la met mijn ondergoed en bijna elke dag hou ik ze even in mijn handen.

In de twee kamers die mama tot haar beschikking had, nemen haar boeken, die door oma op een stapel tegen de muur zijn gezet, de meeste ruimte in.

'Wat gaat daarmee gebeuren?'

'Opa denkt dat ze tweedehands misschien nog iets opbrengen. Anders gaan ze met het oud papier mee.'

'Mag ik ze hebben?'

'Je doet maar, als je ze maar zo gauw mogelijk meeneemt. Ik wil eindelijk weer eens het huis voor onszelf hebben.'

Hoofdstuk 7

Pas na drie dagen heb ik tijd om me op de achternaam van Alice te storten, die volgens oma iets met een rivier te maken had. Ik kijk in het telefoonboek. Maas. Rijn. IJssel. Schelde. Ze zullen best als achternaam bestaan, maar niet in de plaats waar ik zoek. Merwede lijkt ook niet echt een kanshebber, maar plichtsgetrouw zoek ik bij de M en stuit op Merwe, van der. Oma's associatie met een rivier ligt voor de hand, maar het zou wel heel bijzonder zijn als de moeder van Alice na al die jaren nog steeds op hetzelfde adres zou wonen. Aan de andere kant, oma en opa zijn ook nooit verhuisd.

Ik bel de eerste Van der Merwe en krijg een oppasmoeder aan de telefoon. Mevrouw is naar haar werk, kan ze een boodschap aannemen? Op de achtergrond hoor ik het geluid van jengelende kinderen. Het lijkt me niet dat deze Van der Merwe de moeder van Alice of Alice zelf kan zijn, maar voor alle zekerheid informeer ik naar haar voornaam. De oppas is verbaasd en op haar hoede als ze zegt: 'Nee, mevrouw heet Gerda.'

Ik bedank haar en zeg dat ik terug zal bellen. Het zou tenslotte familie kunnen zijn.

Bij het tweede nummer krijg ik een man aan de telefoon, die opneemt met 'Met Roel van der Merwe.' Ik vertel hem dat ik op zoek ben naar een Alice van der Merwe, en anders naar een mevrouw van der Merwe die in 1982 weduwe werd. In beide gevallen kan hij me niet helpen, zegt hij opgewekt. Hij heeft geen dochter en geen

49

vrouw. Wel een vriend, maar daar zal het me wel niet om gaan. Waarna er nog één nummer overblijft.

Ik heb weinig hoop als ik het nummer intoets. Er zijn tientallen redenen waarom zowel Alice als haar moeder uit deze stad vertrokken kan zijn, wat niet betekent dat ik ze niet via de burgerlijke stand kan opsporen. Maar ik wil het meest voor de hand liggende geprobeerd hebben voordat ik de officiële weg ga bewandelen.

De vrouw die de telefoon opneemt, heeft een zachte, vriendelijke stem. Ik leg haar uit wie ik ben en naar wie ik zoek, waarna het zo lang stil blijft dat ik me afvraag of de verbinding verbroken is. Dan komt haar stem, nog zachter dan tevoren: 'Ik denk dat u mij zoekt. Mijn man is in 1982 overreden.'

Ze heeft gevraagd of ik langs wil komen. Door de telefoon met een onbekende praten over dingen die nog steeds pijn doen is te moeilijk. Bovendien wil ze graag zien aan wie ze haar verhaal vertelt. Ik zeg dat ik wat mij betreft nu meteen zou kunnen, en ze neemt het aanbod gretig aan.

Het uit zachtgeel steen opgetrokken flatgebouw waarin ze woont staat in een wijk met veel plantsoenachtige grasveldjes waarop kinderen spelend achter elkaar aan rennen. Er is een receptie bij de ingang. Een jonge vrouw met gemillimeterd haar en een joggingpak vraagt bij wie ik moet zijn en als ik de naam en het huisnummer noem, laat ze me doorgaan.

Op de zevende verdieping staat de moeder van Alice me bij de lift op te wachten. Een tengere vrouw met een vermoeid gezicht, een halve kop kleiner dan ik, zodat ik de grijze uitgroei in haar donkerblonde haar zie. De hand die ze uitsteekt voelt breekbaar in de mijne, maar als ze voor me uit naar haar flat loopt is haar tred veerkrachtiger dan ik had verwacht, en haar rug is recht.

Haar flat is modern ingericht. Lichte muren met een paar kleurige schilderijen. Stoelen met verchroomde buizen, waarvan ik weet dat ze design zijn, ook al ben ik de naam van de ontwerper vergeten. Voor het raam grote planten. Een halfneergelaten scherm tempert het licht van de felle middagzon. De thee staat al klaar op een blad, maar als ik liever sherry wil is het ook goed.

Het stortregende die voorjaarsdag in 1982.

Om die reden had haar man het boodschappen doen uitgesteld, in de hoop dat de bui zou overdrijven. Toen dat niet gebeurde en hij besloot om dan toch maar te gaan, was de middag bijna voorbij. Zij was boven bezig toen hij 'Tot zo!' riep, en voordat ze iets terug kon roepen had hij de deur al achter zich gesloten. Het zijn de kleine bijkomstigheden van grote drama's die vaak het moeilijkst te verwerken zijn, en bij haar waren het die laatste woorden uit de mond van haar geliefde.

'Als ik had geweten dat ik hem nooit meer terug zou zien...' zegt ze, en ze maakt haar zin niet af – iets wat ze doorlopend doet, alsof het vanzelfsprekend is dat ik ze in gedachten aanvul met de woorden die zij niet kan uitspreken.

Toen er een uur later twee politiemensen aan de deur stonden was de mogelijkheid dat haar dochter iets was overkomen het eerste wat in haar opkwam. Alice was jaren eerder met haar fiets in een tramrail terechtgekomen en had bij haar val een been gebroken. Sindsdien was er altijd die vage onrust zolang haar dochter niet thuis was.

Het ging om haar man, zeiden de politiemensen. Ze zei dat hij niet thuis was, even een boodschap was gaan doen. 'Gaat het om een bekeuring?' vroeg ze ook nog. Want zo werkt het in een hoofd dat niet tot zich door wil laten dringen dat er iets onherroepelijks te gebeuren staat.

Ze was in shock toen het onnoemelijke uitgesproken was. Alice was inmiddels thuisgekomen en als twee drenkelingen zaten ze tegen elkaar aan gedrukt, niet in staat om iets te zeggen of zelfs maar te huilen.

Er was in de mededeling van de politiemensen geen sprake geweest van een ziekenhuis waar ze met spoed naartoe moesten gaan om nog een paar laatste woorden te kunnen wisselen. Er was zelfs geen sprake van een bezoek aan het mortuarium.

'Geloof me, mevrouw, u kunt beter de herinnering aan uw man bewaren zoals hij was.'

Maar ze wilde toch naar hem toe, al was het maar om even zijn hand vast te houden. Wat haar bijstaat is de kilte van de ruimte, het volstrekt onpersoonlijke, de vreemde geur die ze niet herkende en de contouren onder het witte laken. In films wordt het laken weggetrokken, zodat het gezicht zichtbaar is, maar wat ze door het laken heen kon onderscheiden had door al het verband dat er kennelijk omheen zat nog maar weinig met de vorm van een hoofd te maken.

Wat ze wel te zien kreeg was zijn linkerhand, die met het polshorloge, dat ze meteen herkende als het cadeau dat ze hem bij zijn laatste verjaardag had gegeven. En de trouwring die ze lang geleden samen hadden uitgezocht, met het gegraveerde klimoprankje rondom de kleine briljant. Zijn hand die de hare had vastgehouden toen hun kind geboren werd en bij andere gelegenheden die ertoe deden – ze had hem vastgehouden en gestreeld, dankbaar dat ze dat tenminste nog kon doen.

Later sprak ze de vrouw die het hoofd van haar man ondersteund had in de laatste minuten dat hij nog leefde, zodat hij niet zou stikken in zijn bloed. Een passerende verpleegkundige met een fietstas vol boodschappen, die nadat de ambulance was weggereden gestolen bleken te zijn. Ook zij was van mening dat het goed was dat ze het gezicht van haar man niet meer had gezien.

'Zo'n beeld vergeet je nooit meer,' had ze gezegd. 'Ik ben in mijn vak heel wat gewend, maar dit kon u zichzelf niet aandoen.'

Na die dag was alles anders. Haar dochter, die de voorafgaande zomer geslaagd was voor haar eindexamen en een jaar naar Frankrijk zou gaan, bleef thuis omdat ze haar moeder niet alleen wilde laten.

'Ik kan me weinig meer herinneren van de maanden die volgden,' zegt ze. 'Ik deed wat er gedaan moest worden. Ik ben niet zo'n huiler. Mensen denken dan algauw dat je eroverheen bent. Alsof dat mogelijk is. Voor Alice lag het anders. Die had ook veel verdriet, maar haar leven ging door. Ze vond een tijdelijk baantje bij de drukkerij waar jouw moeder werkte, als vervangster van de koffiejuffrouw die met zwangerschapsverlof was, en het jaar na het ongeluk vertrok ze op mijn aandringen naar Frankrijk, omdat je niet van een dochter kunt verwachten dat ze de leegte blijft opvullen die ontstaan is doordat...'

'Daar had ze trouwens een leuke job, dat schreef ze meteen al. Op een camping die door Nederlanders gerund werd was het winkeltje waar levensmiddelen, campinggas en kranten verkocht werden haar verantwoordelijkheid. Ze zou blijven tot het einde van het seizoen, dat tot begin oktober duurde. We schreven elkaar brieven en kaarten, en elke week belde ik haar op. Het winkeltje waar ze werkte was de enige plek waar ze een telefoon tot haar beschikking had, dat was wel handig. Dus contact houden viel wel mee, alhoewel ik niet kon wennen aan de leegte in huis. Nog steeds niet.'

Ze staat op om thee bij te schenken, en ik maak van de gelegenheid gebruik om de foto van het jubileumfeestje van drukkerij Harmelen uit mijn tas te halen. Ze kijkt er lang naar, een vage glimlach om haar mond.

'Ach...' zegt ze. 'Dat Annet jouw moeder is! Ze kwam vaak bij ons. Een bijzonder meisje, een goede vriendin van Alice. Ze hadden altijd jongens achter zich aan, daar konden ze samen zo om lachen.

Ik begrijp nog steeds niet hoe het kan dat het met hen allebei zo slecht is afgelopen. En zo kort na elkaar.'

'Wat is er dan met uw dochter gebeurd?'

Ze kijkt verbaasd.

'Weet je dat niet? Ik dacht dat dat de reden was dat je contact met me hebt gezocht. Alice is verdwenen. In 1983. Iets meer dan een maand na dat vreselijk ongeluk van je moeder.'

'Spoorloos,' zeg ik tegen Rogier, die de lage tafel die we voor vijfendertig euro op het Waterlooplein op de kop hebben getikt vol heeft gestouwd met lauwwarme papieren zakken waaruit hij nu doos na doos Chinees eten haalt. Veel te veel, zoals gewoonlijk. Als de loempia's, de bami, de gegrilde garnalen, de babi pangang, de saté en de kroepoek ons de neus uitkomen, zal er nog steeds een hele voorraad in de koelkast staan. Altijd nemen we ons voor om de volgende keer minder te kopen, en altijd eindigt het op deze manier, omdat Rogier als een kind in een snoepwinkel bij de Chinees staat te bestellen.

'Spoorloos?' herhaalt hij, terwijl hij een dikke klodder pindasaus van zijn vingers likt. 'Niemand verdwijnt spoorloos. Er is altijd een spoor. Het punt is dat het niet altijd opgemerkt wordt.'

'De schrijver spreekt,' hoon ik.

Hij haalt zijn schouders op.

'Ze werkte op een camping in het hoogseizoen. Vol dus. En ze verdwijnt spoorloos. Ra, ra, hoe kan dat? De campingbeheerder en zijn vrouw dachten dat ze een vriendje had. Ze ging weleens meer op haar vrije avond weg en dan kwam ze aan het einde van de avond weer terug.'

'Maar ze wisten niet of ze met de bus ging of dat haar vriendje haar haalde?' vraagt Rogier.

'Weet ik niet. In elk geval heeft ze op de dag dat ze verdween niet in de bus gezeten, dat wist de chauffeur zeker. Hij kende haar omdat ze vaak met zijn bus naar het dorp verderop ging.'

'Dan is ze dus door iemand gehaald. Waarschijnlijk door dat vriendje; en dat was natuurlijk niet de eerste keer dat hij met zijn auto bij de camping was. Heeft niemand ooit die auto gezien? Echt helemaal niemand van al die campingbewoners? Niemand die toevallig opgemerkt heeft dat ze in een auto met een buitenlands of juist een Nederlands nummerbord stapte? Want dat bedoel ik met sporen. Dat is informatie waarmee de politie iets kan. Als ze er tenminste naar gevraagd hebben.'

'Of als de campinggasten inmiddels niet weer naar huis vertrokken waren,' zeg ik.

'Dan hadden ze in Nederland ondervraagd kunnen worden. Maar zoveel moeite doen ze alleen maar als ze het belang ervan inzien.'

Hij schuift bami op de borden die ik heb klaargezet. De tafel is zo vol dat ik servetten en bestek zolang op mijn schoot heb gelegd. Een grotere tafel zou geen overbodige luxe zijn, maar het zou nog minder ruimte in de kamer betekenen, waardoor we het huiselijke leven van een legbatterijkip zouden krijgen. 'Voor zover ik weet zijn ze bij de politie niet erg geïnteresseerd in zogenaamde verdwijningen van jonge meisjes. Meestal zijn ze op stap met een jongen en komen ze vanzelf weer terug.'

'Ze kwam niet terug. Ze is nog steeds niet terug. En praat niet tegen me met je mond vol kroepoek.'

'Geen sporen van geweld of dwang,' zegt Rogier onverstoorbaar. 'De ene dag was ze er nog en de volgende niet meer. En ze kwam niet meer terug. Oké. Als rechercheur zou ik denken dat ze er misschien wel van baalde om tijdens een mooie zomer in een winkeltje te staan maar niet de *guts* had om het aan de campinghouder te vertellen.'

'Dan zou ze in elk geval contact met haar moeder hebben gezocht. Die zou ze nooit in ongerustheid laten, zeker niet na de dood van haar vader.'

'Dat is inderdaad het zwakke punt in het verhaal. Wil je de helft van de babi pangang of kan ik nog meer nemen?'

'Ik had al mijn hoop op haar gevestigd,' zeg ik. 'Nu heb ik alleen tante Hedwig nog.'

Hoofdstuk 8

'Laat dat "tante" er maar af, dat geeft me zo'n oud gevoel!'

Ze heeft nog steeds dat mooie rode haar, en slank is ze ook nog, maar haarspelden gebruikt ze niet meer. Haar haren zijn kortgeknipt. Een lok hangt boven haar linkeroog.

Ik loop achter haar aan door een lange smalle gang met een zwart-witte tegelvloer die ik me niet herinner, net zomin als de close-ups van vrouwengezichten aan de witgekalkte muren. Ik zou er op mijn gemak naar willen kijken, maar Hedwig houdt haar pas niet in en ik volg haar gedwee.

De tuin aan het einde van de gang herken ik wel. Net als vroeger staat die vol rozen en hortensia's. Een bloemenzee in het juiste jaargetijde en een beetje saai gedurende de overige maanden van het jaar.

In het voorbijlopen heeft ze een dienblad van het aanrecht getild met een kan water met ijsblokjes en schijfjes limoen, en twee glazen.

Ik heb gebeld voordat ik kwam. Haar adres was nog hetzelfde; het kostte me niet meer dan een paar minuten om haar telefoonnummer te vinden.

'Als ik had geweten dat je moeder gestorven was zou ik natuurlijk gekomen zijn,' zegt ze als we tegenover elkaar op het terras zitten, pal onder het raam van het logeerkamertje waarin vroeger mijn bed stond.

'Niemand heeft een kaart gekregen en in de krant heeft het ook niet gestaan,' zeg ik. 'Er waren maar weinig contacten. De familie is door opa gebeld.'

'Dood,' zegt ze. 'Annet dood. Ik heb altijd gedacht dat we elkaar nog weleens zouden ontmoeten. Ergens. Ik had haar natuurlijk moeten bellen. Maar ik heb geen rekening gehouden met de mogelijkheid dat ze dood zou gaan. Iedereen, maar zij niet.'

Ze klinkt als iemand die in zichzelf praat, en ik kijk naar haar gezicht en denk aan de avond dat ik in de deuropening stond terwijl zij met haar hoofd op mama's schoot huilde.

'Ik heb nooit begrepen waarom jullie vriendschap ineens voorbij was,' zeg ik.

Ze glimlacht. 'Laten we het erop houden dat ik te veel van haar gevraagd heb. Meer dan ze kon en wilde geven. En toen was er geen weg meer terug, voor ons allebei niet. Alhoewel het niet zo rigoureus had gehoeven, niet zo bot en pijnlijk.'

Ze staat op en pakt de karaf. IJsblokjes glijden tinkelend mijn glas in; een schijfje limoen wordt ondergedompeld en schiet meteen weer naar de oppervlakte. Het glas voelt aangenaam koel in mijn hand.

'Kom je om over je moeder te praten?' vraagt ze als ze weer zit.

Ik schud ontkennend mijn hoofd. 'Ik wil weten wie mijn vader is. Ik hoopte dat je me meer zou kunnen vertellen.'

'Meer dan wat?' vraagt ze.

'Meer dan niks. Ik weet alleen dat ze een ongeluk kreeg en dat tijdens de revalidatie bleek dat ze zwanger was.'

'Veel meer weet ik ook niet,' zegt ze. 'Ze was niet iemand die intimiteiten uitwisselde. Ze was heel geheimzinnig als het om privédingen ging. Bijna oosters. En je moet niet vergeten: toen ik je moeder leerde kennen was je een jaar of twaalf. Het was toen allemaal al zo lang geleden, het ongeluk en de zwangerschap, en ze was hoe dan ook niet iemand die terugkeek. Voorbij is voorbij, was haar motto. Dat heb ik aan den lijve ondervonden na onze breuk. Geen gesprek meer mogelijk, geen ontmoeting, niets. Zal ik je bijschenken?'

Ik kijk naar haar terwijl ze opnieuw de glazen vult. Haar bewegingen zijn elegant. Dat waren ze vroeger zelfs als ze de rolstoel van mama inklapte en in de achterbak tilde, nadat ze haar in de auto had geholpen.

In dit huis had ik kunnen wonen. Wat een andere jeugd zou ik dan hebben gehad.

'Bovendien vond je moeder de rol van vaders totaal onbelangrijk,' zegt Hedwig, terwijl ze nog naast de tafel staat.

De karaf weerkaatst zonlicht, gefilterd door de lindeboom waaronder we zitten. Een paar mussen vallen vechtend uit de boom, maar hun ruzie is binnen een halve minuut over. Vogels blijven niet lang kwaad.

Ik richt mijn aandacht op Hedwig. De rol van mannen in het leven van een vrouw: het onderwerp waarover ik haar zo vaak met mama heb horen praten. Ik kan me niet meer herinneren wat mama's ideeën daarover waren. Nu hoor ik ze uit de mond van degene die toen haar enige vriendin was.

'Bij je grootouders had ze niet anders meegemaakt dan dat de vrouw de lakens uitdeelt, dus zo gek was het niet dat ze geen hoge pet op had van mannen.'

'Voor mij was het wel belangrijk om een vader te hebben,' zeg ik. 'Dat wist ze en daar heeft ze zich nooit iets van aangetrokken.'

'Inlevingsvermogen was niet haar sterkste punt.' Het klinkt bijna vergoelijkend.

'Het is de reden dat ik thuis ben weggegaan. Het laatste jaar heb ik haar niet meer gezien of gesproken. Er viel niets meer te zeggen tussen ons zolang dat ene niet gezegd was.'

'Dus je was niet bij haar toen ze stierf?'

Ik zwijg en ze vraagt niet verder. Aan de andere kant van het huis gaat een deur open. Het geluid van hakken op de gangtegels.

'Het zal je niet meevallen om aanwijzingen te vinden,' zegt Hedwig voordat ze haar gezicht naar de tuindeur wendt. 'Daar zul je Margreet hebben.'

In de deuropening verschijnt een blonde vrouw, een enorme bos rozen in haar armen. 'Dat je eraan gedacht hebt!' roept Hedwig. En tegen mij: 'We zijn vandaag precies drie jaar getrouwd.'

Hoofdstuk 9

'Je hoeft je niet op mij af te reageren,' zegt Rogier als ik hem binnen hetzelfde uur verwijt dat hij nooit zijn rommel opruimt, zijn was net zo lang in de plastic draagtas laat zitten die we 'wasmand' noemen totdat ik zijn vieze sokken in de wasmachine stop en in plaats van te koken als het zijn beurt is spareribs, pizza's of Chinees haalt. Iets wat duurder is dan een zelfgemaakte maaltijdsalade en bovendien een stuk ongezonder. 'Kan ik er wat aan doen dat jouw sporen doodlopen en dat je niets nieuws weet te bedenken? Als Wallander het net zo gauw op zou geven als jij waren er een boel leuke boeken minder.'

'Wallander is een politiecommissaris met een bureau vol mensen die hem helpen, en de schrijver van die serie zorgt er wel voor dat hij iedere zaak oplost.'

'Ik wil je ook wel helpen als je zegt wat ik moet doen. Tenslotte is het mijn vak om mysteries op te lossen.'

'Nadat je ze eerst zelf hebt bedacht,' smaal ik.

'Je begrijpt niets van het creatieve proces in het hoofd van een schrijver. Niet alles wat ik schrijf is bedacht. Er zijn hele stukken die bij me binnenkomen... Ik hoef ze bij wijze van spreken alleen maar op te schrijven. Ik zal je straks de eerste scène voorlezen. Ik ben er zelf verbaasd over, echt, ik had niet gedacht dat ik het in me had. Wat denk je: zal ik het meteen opsturen naar John de Mol? Misschien zit er een voorschot in.'

Ik reageer niet. Onderuitgezakt zit ik kwaad naar hem te kijken.

Hij heeft de krant tussen zijn gespreide benen op de grond gelegd en met zijn hoofd voorovergebogen zit hij te lezen. De houding van een passagier met luchtziekte.

Ik heb geen idee hoe het verder moet. De oude Harmelen is zijn geheugen kwijt, Hedwig heeft bevestigd wat ik allang wist: dat mama gesloten was als een oester als het op haar privéleven aankwam, en Alice is spoorloos verdwenen. Dat laatste zit me het meest dwars.

'Ik begrijp nog steeds niet hoe het kan dat het met allebei zo slecht is afgelopen,' zei de moeder van Alice. Maar ik begin erachter te komen dat het niet handig is om dingen te willen begrijpen. Het bezorgt me hoofdpijn en het humeur van een opgeschrikte ratelslang.

'Kijk niet zo naar me,' zegt Rogier zonder op te kijken.

'Hoe weet je dat ik kijk?'

'Straling. Je afkeuring komt in golven op me af.' Hij slaat een pagina om. 'Zou je verliefd op me zijn geworden als je me voor het eerst zo had gezien?' vraagt hij zonder van houding te veranderen.

'De eerste keer dat ik je zag spoot er bier uit je neus omdat je je verslikt had,' zeg ik.

Hij vouwt de krant dubbel en gaat overeind zitten. 'Ik vond jou anders meteen al een lekker stuk,' zegt hij tevreden.

En dan belt oma, en voordat er vijf minuten zijn verstreken ben ik zo verschrikkelijk kwaad dat het maar goed is dat ik niet met haar in de keuken zit, want ik zou de tent afgebroken hebben.

'Je hebt wát weggegooid?' herhaal ik met een stem die trilt van razernij.

'Ze had het verstopt in een van die gehaakte kussenovertrekken, dus het is wel duidelijk dat ze niet wilde dat iemand erin las. Opa en ik hebben er ook niet in gekeken. We hebben er een krant omheen gedaan en het met het oud papier meegegeven.'

'Dus iemand die het toevallig vindt mag het wél lezen!'

Er staat geen naam en adres op, dus ze doen maar,' zegt oma. 'En wanneer kom je die boeken nou eens halen, want daar bel ik eigenlijk voor. Ze staan in de weg. Als het aan opa had gelegen, waren ze allang weggedaan.'

'Ik kom ze morgen halen,' zeg ik. Het kost moeite om gewoon te praten. Mijn hart bonkt van opwinding en als ik heb neergelegd weet ik niet of ik moet lachen of huilen. Het antwoord op mijn vragen is de hele tijd binnen mijn bereik geweest. Waarom heb ik er nooit aan gedacht om in die suffe kussens te zoeken? En nu is het te laat, nu zal ik nooit weten wat er precies is gebeurd en waarom mama er niet over heeft willen praten.

'Wat deed je gek gisteren,' zegt oma. 'Het beviel je niet, hè, van dat dagboek? We hebben het er nog over gehad, opa en ik. Dat het misschien toch... Maar als er nou de naam in had gestaan van de jongen die haar zwanger heeft gemaakt, wat had je dan gedaan? Naar hem toe gaan? Een man die ver in de veertig is en misschien een gezin heeft? "Dag papa" zeggen tegen een man die je voor het eerst in je leven ziet? Wat heeft het nog voor zin, na al die tijd?'

'Voor mij heeft het zin,' zeg ik, alhoewel haar beschrijving van de ontmoeting me een vervelend gevoel geeft.

Ze kijkt me aan en schudt haar hoofd. 'In sommige dingen lijk je zo op je moeder. Die koppigheid. Ga vooral door met zoeken naar een speld in een hooiberg. Maar als je hem vindt... Wij hoeven het niet meer te weten, het is nu te laat.'

Het parkje voor het gele flatgebouw druipt van de regen. De enige wandelaars die ik zie zijn een jonge vrouw en een kindje van een jaar of drie aan haar hand. De moeder heeft een paraplu, het kindje een donkerblauwe zuidwester met witte stippen. Het stopt bij elke plas om er met zijn knalrode laarsjes hartstochtelijk in te stampen. Het water spat hoog op; ik hoor zijn opgewonden blije stem en de lach van zijn moeder.

'Ik weet niet of je er iets aan hebt,' heeft de moeder van Alice, die ik op haar verzoek Sylvie noem, vanochtend door de telefoon gezegd. 'Maar er staan adressen bij van de klasgenoten die de reünie organiseren.'

Mijn uur lunchpauze is net lang genoeg om de uitnodiging bij haar op te halen.

'Ik wist niet wat ik moest antwoorden.' Ze maakt een hulpeloos gebaar terwijl ze de brief langs een schaal met sandwiches naar me toe schuift. 'Dat ze niet kan komen omdat ik niet weet waar ze is?'

Ik kijk haar geschokt aan. Ik ben er vanaf het begin van haar verhaal over de verdwijning van Alice van uitgegaan dat ze vermoord is en op een stille plek begraven. Nu dringt het tot me door dat haar moeder haar verdwijning nog steeds ziet als een 'niet weten waar ze is'.

'Ik heb maar geschreven dat ze verhinderd is wegens verblijf in het buitenland.'

Ik zeg dat het me een goed idee lijkt, terwijl ik de brief oppak. Hij heeft een knullige lay-out, kennelijk gemaakt door iemand die niet goed raad weet met computers. *Het vijfde lustrum van ons ouwe vertrouwde 'Het Hoogland,' genoemd naar Jaap Hoogland die het oprichten van de school tot een levenswerk maakte, is voor de oud-leerlingen een prachtige gelegenheid om elkaar weer eens te ontmoeten.*

Ik sla een blok tekst over en beland bij de ondertekening. *Joris Verheul, voorzitter en Marleen Verdonk, secretaris.* Er staan telefoonnummers onder.

'Het is over zes weken,' zegt Sylvie. 'Maar die brief ligt hier al een paar maanden. Mensen moeten de tijd hebben om zich vrij te maken voor zo'n uitgebreid programma. Een borrel, een diner, een feestje... Alice zou het enig gevonden hebben. Die had er echt moeite mee dat haar klas na het eindexamen uit elkaar viel. Ach, je weet hoe dat gaat. Je zweert dat je contact met elkaar zult houden; je kunt je niet voorstellen dat mensen die jarenlang zo belangrijk voor je waren ineens uit je leven zullen verdwijnen. En toch is dat wat er gebeurt, altijd opnieuw. Je hecht je aan mensen en...'

Ze neemt zwijgend kleine hapjes van haar sandwich. Ze zijn lekker, maar het is duidelijk dat eten voor Sylvie niet tot de belangrijke dingen in het leven hoort.

'Heb je er iets aan?' Ze wijst op de brief.

Ik knik en zeg dat ik hem graag mee wil nemen.

'Ik wil hem wel terug!' zegt Sylvie, en ik stel haar gerust. Als er iemand is die weet hoe belangrijk tastbare herinneringen zijn, ben ik het wel.

Marleen Verdonk neemt meteen op, en aan haar stem te horen had ze gehoopt iemand anders aan de lijn te krijgen. 'De dochter van Annet wie?' vraagt ze ongeïnteresseerd.

'Annet Heerema,' zeg ik.

'O, die...'

Het klinkt niet alsof mama's naam sprankelende herinneringen bij haar oproept, en ineens realiseer ik me dat ik geen idee heb van mama's positie in de hiërarchie van het schoolleven.

Een mooi meisje dat iedere jongen kon krijgen die ze hebben wilde... er moeten klasgenootjes geweest zijn die haar erom gehaat hebben. Misschien heeft ze ooit een vriendje van Marleen Verdonk ingepikt. Of misschien behoorde Marleen tot de lelijke eendjes van de klas, genegeerd, buitengesloten, nooit uitgenodigd voor feestjes die ertoe deden en stikkend van jaloezie op die trut die de jongens om haar pink wond. En nu bel ik, de dochter van iemand van wie ze blij was er na haar eindexamen van verlost te zijn.

'Mijn moeder is een paar weken geleden gestorven.'

Het is niet duidelijk of haar 'Ah!' een uiting van voldoening is, maar als het niet zo is ligt het er wel verdomd dichtbij.

'Ik weet bijna niets van haar leven,' zeg ik. 'Ik hoopte dat u me misschien zou kunnen helpen aan de namen van vriendinnen uit die tijd.'

'Vriendinnen meervoud?'

Ik negeer de ironie. 'U hebt als secretaresse toch de namen van mama's klasgenoten?'

'Weet je,' zegt ze, en haar stem klinkt te onschuldig. 'Als je iets over je moeder te weten wilt komen, kun je echt beter gaan informeren bij de jongens uit haar klas.'

Zijn vrouw neemt op.

'Lot Heerema? En wie mag dat wel wezen?'

Ik begin me af te vragen of de generatie van mijn moeder eigenlijk wel weet hoe je een behoorlijk telefoongesprek moet voeren, maar ik probeer mijn irritatie te verbergen. 'Het gaat over de reünie.'

'Dan moet u Marleen Verdonk bellen; als u het nummer van mijn man hebt, moet u haar nummer ook hebben. Het staat onder dezelfde brief.'

'Ja,' zeg ik, 'en toch wil ik graag even met uw man praten, als dat geen onoverkomelijke problemen veroorzaakt.'

'Hij is er niet.'

'Wanneer kan ik hem dan bellen?'

'Geen idee,' zegt ze, en ze legt neer.

Rogier heeft het natuurlijk weer meteen door. Hij hangt met opgetrokken benen in de stoel met de kapotte veren en slaat op zijn knieën van plezier.

'Dat je dat niet meteen snapte! Je begrijpt ook echt niks van het Leven!'

'Nee,' zeg ik, 'en als dat het Leven is, heb ik daar niet veel aan gemist.'

'Luister nou eens even,' zegt hij, en bij hem is dat altijd de inleiding tot een lesje levenswijsheid. 'Die Joris is hartstikke vreemdgegaan, en zijn vrouw weet het. Sindsdien ziet ze in iedere vrouw een bedreiging. Krijgt ze jóu aan de telefoon. Mooie, jonge stem. Dat mens slaat toch meteen op tilt? Die heeft nog maar één doel in haar leven, en dat is voorkomen dat jullie met elkaar in contact komen. Van die hele gedachte aan een reünie heeft ze het al op haar zenuwen. Misschien was hij indertijd wel de populairste jongen van de school, zwermen straks al die vrouwen van toen om hem heen om herinneringen op te halen en nieuwe afspraakjes te maken! Je weet toch dat vrouwen nergens voor terugdeinzen?'

'En wat moet ik nou?' vraag ik. De teleurstelling dat mijn zoektocht nu al is vastgelopen hakt er behoorlijk in.

'Doorzetten. Blijven bellen. Kijken wie de langste adem heeft. Zo doe ik dat ook in mijn serie. Je hebt geen idee hoe goed dat werkt. Ze kan moeilijk de telefoon afsluiten, en als hij toevallig in de buurt is als ze jou aan de lijn krijgt kan ze niet zeggen dat hij er niet is. Trouwens, eens in de zoveel tijd moet zelfs een slome man erin slagen ook eens als eerste bij de telefoon te zijn. Ik hoop voor jou dat hij niet je vader is, want eerlijk gezegd lijkt hij me nogal een lulletje rozenwater.'

Dat is iets wat ik zelf ook al had bedacht. Een onbekende vader kan ik invullen zoals ik zelf wil. Ik kan hem aantrekkelijk maken, hem alle eigenschappen toedichten die voor mij van belang zijn. Als blijkt dat een sloom miezerig mannetje mij verwekt heeft, ben ik in één klap de mogelijkheid om over hem te fantaseren kwijt.

De derde dag neemt Joris Verheul zelf de telefoon op. 'De dochter van Annet Heerema?

Ik vergis me niet: zijn stem klinkt blij verheugd, alsof er voor zijn ogen een fles wijn uit een goed jaar wordt opengemaakt.

'Goh, Annet... Hoe is het met Annetje?'

'Ze is dood,' zeg ik. 'Gecremeerd. Tot stof weergekeerd.' Waarom ik zo'n idiote tekst uitspreek is mezelf ook niet helemaal duidelijk. Het heeft te maken met de reeks steeds venijniger wordende gesprekjes die ik met zijn vrouw heb moeten voeren voordat hij er eindelijk eens in slaagde als eerste de telefoon in handen te krijgen.

'Annet dood... Hoe kan dat nou? Ik ken niemand die zo lévend was.'

'Ik wil graag met u praten. Over mijn moeder. Ik ken niemand uit haar schooltijd. Ik weet bijna niets van haar leven. U bent mijn enige aanknopingspunt. Marleen zei...' Ik maak de zin niet af. Wat Marleen zei was niet echt een compliment, voor mama niet en voor de jongens van toen al evenmin.

'Marléén...' Het klinkt alsof daarmee alles is gezegd. Marleen bijgezet in de grafkelder van niet-populaire meisjes. 'Wat zullen we afspreken?'

Of zijn vrouw is niet thuis, of hij heeft geen benul van wat er in haar omgaat. 'Morgen na mijn werk zou eventueel kunnen.'

We spreken af bij Wagendorp, het kleine café aan de overkant van de krant.

Op weg naar huis kan ik een gegrilde kip meebrengen van de poelier ernaast, die tot acht uur 's avonds open is, zodat Rogier en ik toch nog op tijd kunnen eten. Het zou fijn zijn als hij af en toe ook eens boodschappen zou doen, maar elke poging in die richting ketst af op zijn opvatting dat je van een beetje man niet kunt verlangen dat hij zich met zulke stomme dingen bezighoudt.

Hij is niet onaantrekkelijk, en dat is een meevaller, maar hij heeft een weke mond en zijn ogen knipperen net iets te vaak, alsof hij er rekening mee houdt vanuit een onverwachte hoek aangevallen te worden. Mij verbaast het niet, na de aanvaringen met zijn vrouw die ik achter de rug heb.

'Je lijkt op je moeder,' zegt hij, en omdat ik toevallig weet dat het niet zo is, ga ik erop in. 'Jawel,' houdt hij aan, 'je hebt dezelfde ogen.'

'Jullie zaten toch bij elkaar in de klas?' vraag ik, een glas campari-soda tussen mijn handen.

Hij heeft voor zichzelf alcoholvrij bier besteld – 'Mijn vrouw houdt er niet van als ik drink' – en het kost me geen enkele moeite om me het commentaar van Rogier voor te stellen.

'Parallelklas. Annetje zat in 5C, ik in F. Sommige uren hadden we gezamenlijk. En we zagen elkaar natuurlijk in de pauzes, op sportdagen, met feestjes.'

Hij praat alsof het hem moeite kost de laatste woorden van een zin te bereiken, en ik vraag me af of hij zenuwachtig is. 'We waren allemaal een beetje verliefd op Annetje. Wat zij voelde, wist je nooit. Het leek bij haar meer een spel. Veroveren, aanbeden worden. In de derde zijn er een paar jongens geschorst die gevochten hadden. Om haar. Het liep nogal hoog op. We stonden er allemaal omheen. Iedereen vond het griezelig, dat zag je aan de gezichten. Annetje stond er ook bij, maar aan haar gezicht zag je niets.'

Ook toen al, denk ik. Zelfs op die leeftijd was je al een oester voor de mensen om je heen. Ooit moet er toch ergens iemand geweest zijn die wél tot je door kon dringen, die wél mocht weten wat je dacht en voelde. Maar waar moet ik hem vinden? Want ik twijfel er niet aan dat het een man is die over de sleutel beschikt. Niet Alice, een dierbare vriendin met wie ze kon lachen om de stomme jongens die ze achter zich aan hadden, maar met wie ze haar werkelijke geheimen niet deelde, daarvan ben ik overtuigd.

'Met wie ging ze speciaal om?' vraag ik. Ik heb een opschrijfboekje voor me op tafel gelegd en een minipen, omdat ik aantekeningen wil maken van de namen die hij misschien gaat noemen.

'Je bedoelt vriendjes met wie ze vree? Ik weet eigenlijk niet of ze echt ver ging met jongens. We zeiden allemaal dat we het met haar gedaan hadden, maar we geloofden elkaar niet. En aan haar merkte je niets. Ze trok veel op met een vriendin – Alice – ook zo'n lekkere meid die veel jongens achter zich aan had. We zaten zo vol hormonen dat het nog een wonder is dat de meesten van ons geslaagd zijn voor hun examen.'

'Had ze nooit een vast vriendje?' Ik merk dat ik het moeilijk vind om over mijn moeder te praten als over een lekkere meid van wie alle jongens zeiden dat ze het met haar gedaan hadden. Het is niet zoals ik over haar wil denken en ik wil er al helemaal niet over praten met deze man, van wie ik zeker weet dat hij tot de stumpers behoort voor wie school de leukste tijd van hun leven was.

'Een vast vriendje...' herhaalt hij. 'Kun je daar niet beter met die vriendin, die Alice over praten?'

'Die zit in het buitenland,' zeg ik, al lijkt het werkwoord 'liggen' me na wat ik gehoord heb meer op zijn plaats.

'Alexander...' zegt hij. 'Met hem heb ik haar regelmatig gezien. Of ze iets met elkaar hadden weet ik niet, maar er was in elk geval een bijzonder soort vriendschap tussen die twee.'

'Alexander wie?' Ik heb het blocnootje opengeslagen, de balpen in mijn hand.

'Alexander Terborg. Hij komt in elk geval naar de reünie. Wil je dat ik hem vraag contact met je op te nemen?'

De opruiming bij oma en opa is achter de rug. De sporen van het verblijf van mama en mij zijn uitgewist. Oma blijft herhalen hoe heerlijk het is om eindelijk het huis weer eens voor zichzelf te hebben.

'Zo'n rolstoel,' zegt ze, 'dat kan toch eigenlijk niet, daar zijn de moderne woningen toch niet op gebouwd?'

'Hou er nou eens over op!' zegt opa. Het is de eerste keer dat ik hem openlijk tegen oma in hoor gaan en ik geloof mijn oren niet. Oma ook niet. Ze kijkt hem sprakeloos aan.

'Ik had liever gehad dat ze nog leefde, met rolstoel en al!' Hij staat op en loopt de keuken uit.

Oma knijpt haar lippen samen – in haar geval een teken van ontroering.

'Heb ik haar dan omgebracht soms?' Ze kijkt me uitdagend aan. Maar ik reageer niet. 'Toevallig was het ook míjn dochter,' zegt ze gekwetst.

Op de avond van de reünie rijd ik naar het oude schoolgebouw waarin mama vijf jaar van haar leven heeft doorgebracht. Natuurlijk kan ik er niet binnengaan. Ik heb niets met de school te maken, maar veel van de mensen die hier vanavond zijn hebben indirect wel iets met me te maken, omdat ze ooit mama hebben gekend.

In de straten rondom het gebouw staan bumper aan bumper de geparkeerde auto's van de reünisten. Het is een verrukkelijke avond na een te warme dag. De wind is zoel en draagt de geur van bloemen met zich mee. De ramen en deuren van Het Hoogland staan wijd open, gepraat en gelach vullen de avond. Op sommige momenten zijn ineens een paar woorden duidelijk verstaanbaar, als om een onverklaarbare reden het geroezemoes wegvalt en een enkele stem de stilte vult. Op de stoep bij de voordeur staan de rokers. Ook bij hen zit zo te horen de stemming er goed in.

Ik ben er in een opwelling naartoe gereden. Dichter bij haar verleden dan in de nabijheid van haar vroegere klasgenoten kan ik niet komen – zoiets zal het wel zijn. Ik heb de Mini op een krappe plek aan de overkant van de straat geparkeerd en de raampjes omlaaggedraaid.

De zon is gezakt tot net boven het laagste punt van het bijgebouw en de weerschijn op het rode pannendak doet pijn aan mijn ogen. Tussen al die mensen in het schoolgebouw zijn er een paar die het weten. Of misschien maar één: de man die bijna dertig jaar geleden mijn moeder zwanger maakte, misschien wel dezelfde man die tijdens een wilde brommerrit haar leven verwoestte. Zelfs als ik hem op het spoor kom, als ik tegenover hem aan tafel kom te zitten zoals een tijdje geleden met Joris Verheul, dan nog is het de vraag of ik er iets mee opschiet. Want hij zal in alle toonaarden ontkennen dat hij een meisje zwanger heeft gemaakt en heeft laten zitten – nee, erger nog – heeft laten liggen toen ze van de brommer geslingerd werd die hij om wat voor reden ook die avond gestolen had.

Waar ben ik in godsnaam mee bezig, vraag ik me af. Wat drijft me? Wat kan ik hiervan verwachten? Maar ook al weet ik de antwoorden niet, ik ben ervan doordrongen dat ik door zal gaan met zoeken totdat ik zo ben vastgelopen dat zelfs ik besef dat er geen reden tot hoop meer is.

Hoofdstuk 10

Alexander Terborg belt drie avonden later, als Rogier en ik net zoenend op de grond van de woonkamer zijn beland. Tussen stoel- en tafelpoten door baan ik me een weg naar mijn mobiel, die in de zak van mijn op de lage tafel terechtgekomen linnen jasje zit.

'Jezus, kan dat niet even wachten!' zegt Rogier geïrriteerd. Aan het bonken van de tafel en zijn gevloek hoor ik dat hij te snel overeind komt en zijn hoofd stoot.

Pech is het wel dat Alexander uitgerekend nu belt. Zo vaak vrijen we niet meer. Als ik 's ochtends uit bed kom, heb ik er geen zin in en geen tijd voor. 's Avonds, als het me wel wat zou lijken, is Rogier naar zijn nachtdienst. En als hij om zes uur 's ochtends thuiskomt, heeft hij niet de moed me wakker te zoenen nadat ik hem een paar keer nog half slapend in zijn gezicht heb geslagen omdat ik droomde dat ik verkracht werd.

Mijn stem klinkt niet bijster vriendelijk als ik mijn naam noem.

'Alexander Terborg,' zegt een opgewekte mannenstem. 'U bent de dochter van Annet en u wilt met me praten. Klopt dat?'

'Ja. Jazeker. Fijn dat u belt.'

Hij zwijgt afwachtend. Kennelijk is het aan mij om nu de volgende stappen te zetten.

'Kunnen we elkaar spreken? Ontmoeten, bedoel ik eigenlijk.' Mijn hoofd is er nog niet helemaal bij.

Hij lacht. 'Noem maar een plek en een tijd, dan zeg ik wel of het kan.'

Het eerste dat me te binnen schiet is café Wagendorp.

'Morgen om vijf uur!' zegt hij, en verbreekt de verbinding.

Ik draai me om. Geen Rogier te bekennen. Het is een gunstig teken dat hij naar de slaapkamer is uitgeweken; de kans op vrijen is tenminste niet definitief verkeken. Maar hij zit achter zijn computer en als ik verleidelijk zijn nek lik maakt hij een geïrriteerde beweging met zijn hoofd, terwijl hij zonder op te kijken doorgaat met tikken.

Hij is iets groter dan ik, stevig gebouwd, met het gezicht van iemand die weet wat hij wil en eraan gewend is het te krijgen. Ik weet dat zijn grijze ogen me van hoofd tot voeten in zich op hebben genomen, in de paar seconden dat ze op mijn lichaam rustten voordat we elkaar een hand gaven.

'Joris heeft met me over u gepraat,' zegt hij als we tegenover elkaar zitten, zijn whisky on the rocks en mijn campari-soda tussen ons in.

'Eerlijk gezegd begrijpen we niet goed waarnaar u op zoek bent. Vriendinnen van uw moeder, zei u tegen Joris. Maar toen het erop aankwam leek u volgens hem meer geïnteresseerd in haar vrienden. Dus als een van de vrienden van uw moeder is mijn vraag: wat wilt u van me weten?'

Het is het moment waar ik naartoe heb toegeleefd en dat me volkomen overvalt nu het eindelijk is aangebroken. Ik kijk hem aan en voel hoe het gloeien vanuit mijn hals mijn wangen bereikt. Mijn ogen tranen. Ik weet niet wat ik zeggen moet en een houding weet ik me evenmin te geven. Ik pak met twee handen mijn glas campari en verslik me in een te grote slok. Ik hoest zo hevig dat ik door het waas voor mijn ogen zie dat mensen aan de tafeltjes rondom ons zijn opgehouden met praten en ongegeneerd naar me staren.

Maar Terborg heeft mijn schouders vastgepakt. 'Rustig blijven!' Zijn stem klinkt bevelend. 'Je stikt niet in een slok drank. Probeer rustig te ademen.'

Hij doet iets met mijn rug, en langzaam verdwijnt het gevoel dat ik flauw ga vallen. 'Hier... drink water, maar rustig!'

Ik neem een slokje, en nog een, en veeg mijn gezicht droog met de tissues die hij me aanreikt. En dan zitten we weer tegenover elkaar. Ik wil er niet aan denken hoe ik er nu uitzie. Het liefste zou ik naar de wc gaan en heel lang weg blijven, of liever nog, naar huis gaan en nooit meer iets van me laten horen. Maar ik heb de energie niet om waar dan ook naartoe te lopen.

Hij heeft meer water laten aanrukken. 'Vergeet die campari maar even. Uw keel is rauw van het hoesten, u kunt beter water blijven drinken.'

Ik knik en ontwijk zijn ogen.

'Goed,' zegt hij, 'dat hebben we achter de rug. En dan nu de vraag waarvan u zo overstuur raakte maar die toch gesteld en beantwoord moet worden voordat we verder kunnen: 'Wat wilt u van me weten?'

Het is zo'n simpele vraag dat ik er alleen maar een simpel antwoord op kan bedenken. 'Bent u mijn vader?' vraag ik.

Hij fronst, wat me niet verbaast. Zijn ogen laten de mijne niet los. 'Hoe bent u op dat idee gekomen?'

'Is dat uw antwoord?'

'Nee,' zegt hij. 'Ik ben niet uw vader, en eerlijk gezegd vind ik dat best spijtig. Maar Annet was helaas niet in me geïnteresseerd, terwijl ik toch lang genoeg achter haar aan heb gelopen. Ik ben twee keer getrouwd geweest en ik heb twee volwassen zonen die ik in geen jaren gezien heb. Een dochter zoals u zou me wel wat lijken. Trouwens...' – hij buigt zich naar me toe – 'hoe weet u eigenlijk dat ik niet lieg? Dat niet elke man liegt aan wie u die vraag stelt? Of loopt u met wattenstaafjes op zak en moet ik zo meteen wat wangslijm afstaan?'

'Ik geloof u zo ook wel. En ik heb zelf ook al bedacht dat de kans groot is dat er tegen me gelogen zal worden. Maar zo lang ik me herinner heb ik willen weten wie mijn vader is. En wat voor reden mijn moeder heeft gehad om het niet te willen zeggen.'

Ik haal mijn schouders op en pak mijn tas. 'Sorry dat ik u ermee heb lastiggevallen.'

'Blijf zitten!' Opnieuw valt me op hoe bevelend zijn stem kan klinken. 'En laten we ophouden met dat "u" zeggen. Over welk jaar hebben we het eigenlijk? Hoe oud ben je?'

Voor de derde keer in korte tijd vertel ik het verhaal: het baantje bij de drukkerij nadat mama eindexamen had gedaan, het ongeluk in het voorjaar van 1983, het revalidatiecentrum waar bleek dat ze zwanger was.

'En daarom vraag je nu aan iedere man met wie ze in die periode omging of hij je vader is?' Zoals hij het stelt komt het behoorlijk belachelijk over.

'Niet aan iedere man.' Ik probeer tevergeefs niet rood te worden, maar gelukkig let hij niet op me.

Hij zit zo lang voor zich uit te kijken dat ik het gevoel heb dat hij mijn aanwezigheid vergeten is en schrik als hij ineens weer begint te praten. 'Ik moet erover nadenken. Je hebt me overvallen met dit verhaal. Waar kan ik je bereiken?'

Ik haal een kaartje uit mijn tas. Het adres van oma en opa staat er nog op. Ik ben al tijden van plan een nieuw kaartje te laten maken maar het is er nog niet van gekomen. Hij wacht geduldig totdat ik de veranderingen heb aangebracht en loopt daarna met me mee naar de Mini.

Ik rijd langzaam naar huis, het raampje aan mijn kant half open, blij met de koelte van de wind langs mijn gezicht, terwijl ik me afvraag of ik ooit nog iets van hem zal horen.

Hij belt drie dagen later. Het signaal komt vanuit mijn schoudertas die op de stoel naast me ligt. Ik heb het gevoel dat hij het weleens zou kunnen zijn, maar ik sta vooraan bij een rood stoplicht en ik zie geen kans om in die korte tijd mijn tas open te maken en mijn mobiel eruit te halen. Handsfree bellen staat al tijden boven aan mijn verlanglijst, maar Rogier vindt een autotelefoon een shitcadeau en bovendien te duur, terwijl ik er zelf ook het geld niet voor heb, of niet voor overheb – daar ben ik nog steeds niet uit.

Zodra ik aan de kant van de weg een parkeerplek zie laveer ik de Mini erin. De stem van Alexander Terborg op mijn voicemail klinkt vreemd vertrouwd voor iemand met wie ik pas één keer eerder contact heb gehad. Hij heeft een naam voor me, zegt hij. Ik moet maar melden wanneer ik tijd heb om even te praten.

'Morgenmiddag om vijf uur in café Wagendorp,' spreek ik op zijn voicemail in.

Nog voordat ik wegrijd is zijn respons al binnen.

'OK.'

Terborg weet het zeker: In de tijd dat hij met mama bevriend was ging ze al om met Bas van Vliet, maar hij zocht daar niets achter.

'Voor meisjes als jouw moeder telden jongens als Bas niet mee. Te onopvallend. Te braaf misschien wel. Maar wel een uitblinker op school. Hij deed vwo, maar op de een of andere manier maakte hij ook regelmatig deel uit van het havo-vriendenkluitje, en dat kwam jouw moeder goed uit want haar sociale leven vergde zoveel tijd dat er weinig gelegenheid overbleef voor haar schoolwerk. Elk jaar ging ze op het nippertje over, maar in het eindexamenjaar kwam het er echt opaan en Bas spijkerde haar bij. Hij kon de tijd missen. Voor hem stelde dat hele examen niet veel voor, en bovendien zal hij zich wel vereerd hebben gevoeld met de rol die hij ineens in het leven van het leukste meisje van de school speelde. Toen ik er de afgelopen dagen over nadacht, realiseerde ik me ineens dat het daar natuurlijk begonnen is: in zijn kamer waar ze samen de leerstof doornamen. Dat ik daar niet meteen aan heb gedacht! Voor je moeder is het waarschijnlijk als spielerei begonnen, maar ik denk dat Bas het serieus meende. Na het examen ben ik ze een paar keer samen tegengekomen; dat verbaasde me toen wel. Maar het zat er natuurlijk dik in dat het niets kon worden. Bas ging naar Delft, je moeder kreeg een of ander maf baantje. Je kon erop wachten dat het uit zou gaan en dat is dan ook gebeurd. Tenminste, ik neem aan dat het zo is gegaan.'

Ik schud mijn hoofd.

Het verhaal van Terborg klinkt net niet logisch genoeg. Brave Bas op een gestolen brommer? De hulpvaardige goeierd die mama als oud vuil op straat liet liggen? En waarom heeft mama hem altijd de hand boven het hoofd gehouden? Altijd geweigerd zijn naam te noemen?

'Ik weet het,' zegt Terborg, en ik realiseer me dat hij zijn ogen geen seconde van mijn gezicht heeft afgewend terwijl ik nadacht.

'Ik weet dat het geen mooi afgerond verhaal is, en er zijn dingen die ik ook niet begrijp. Bas is degene die het verhaal moet aanvullen, en hoe je dat voor elkaar moet krijgen zou ik zo gauw niet weten. Ik kan in elk geval geen contact voor je leggen. We waren niet wat je noemt bevriend op school, ik denk dat hij me als concurrent zag. Annet wilde weliswaar niet met me vrijen, maar we bleven wel vrienden en dat kon Bas niet hebben. Hij is er zelfs in geslaagd om me op de reünie te ontwijken, en dat wil wel wat zeggen.' Zijn hand verdwijnt in de zak van zijn colbert en komt terug met een opgevouwen A4'tje. Hij schuift het naar me toe.

'Dit zijn de gegevens die ik over Bas heb kunnen opvissen. Doe er iets mee. Of niet natuurlijk. Als je me nodig hebt, hoor ik het wel.'

Hoofdstuk 11

Nu ik de naam heb, nu ik zo dicht bij mijn doel ben, voel ik me ineens lamgeslagen. Wat schiet ik ermee op dat ik op een A4'tje de gegevens heb staan waarnaar ik al zo lang op zoek ben? In wezen is de man die me verwekt heeft nog steeds even onbereikbaar.

Mijn neerslachtigheid slaat over op Rogier. 'Eigenlijk hebben we een verdomd saai leven,' zegt hij als hij na een avond wezenloos zappen zijn jack aantrekt om naar zijn nachtdienst te gaan. 'Wanneer hebben we voor het laatst iets leuks gedaan? Ik bedoel, iets écht leuks?'

Het is wat ik zelf ook steeds sterker voel: de sloomheid die de laatste tijd bijna tastbaar over onze relatie hangt. We vrijen niet, we maken geen ruzie, we vegeteren als twee vergeten planten in een hoekje van de tuin.

'En dan die stomme vader van je. Daar is ons leven ook niet echt leuker door geworden.'

'Sorry,' zeg ik, om aan te geven dat ik wel degelijk deelneem aan het gesprek.

'In elk geval ga ik zaterdag stappen met Roel en Edward. Ik heb het weekend vrij en ik wil wel weer eens een beetje lol hebben.' Hij ziet er aandoenlijk jong uit, met dat jack dat hij volgens hem op de middelbare school al droeg.

We zijn nog net geen dertig, denk ik terwijl ik de voordeur achter hem dicht hoor slaan. Ze zeggen dat alle kansen die je hebt laten liggen voor je dertigste voorgoed zijn verkeken. En kijk wat

Rogier en ik ervan terechtbrengen. Een ingeslapen duo. Geen lol aan te beleven. Het zou al een heleboel schelen als ik weer eens lekker verliefd op hem zou zijn. Maar wat ik voor hem voelde is zo geleidelijk weggeëbd dat ik het nauwelijks heb gemerkt. Vriendjes – ja, dat zijn we op onze beste momenten. Maar die komen steeds minder vaak voor. Ik moet er met Rogier over praten. Binnenkort, maar nu nog even niet.

De man die mijn vader zou kunnen zijn is drie jaar geleden weduwnaar geworden. Van de twee volwassen dochters woont er een met haar man in Manchester, waar ze net een baby heeft gekregen. De andere dochter woont met haar man en kind in dezelfde plaats als hij. Dezelfde plaats waar ik tot nu toe mijn leven heb doorgebracht. Het is niet waarschijnlijk dat ik hen ooit ben tegengekomen. Zij zijn opgegroeid in een villawijk die door architecten is ontworpen, terwijl ik mijn jeugd doorbracht aan de andere kant van de stad, waar de straten smaller en de huizen minder goed onderhouden zijn. Om maar te zwijgen over het flatje van Rogier in wat met een modieuze naam 'achterstandswijk' genoemd wordt. De dochters van Bas van Vliet hebben het een stuk beter getroffen dan ik, en met een vaag gevoel van jaloezie bedenk ik dat hun jeugd heel wat leuker en makkelijker geweest moet zijn.

Bas van Vliet, nu achtenveertig jaar, heeft als ingenieur voor een oliemaatschappij over de wereld gezworven. Daarna heeft hij een paar jaar op het hoofdkantoor in Den Haag gezeten, waarna hij werd afgekeurd wegens hartproblemen. De zaterdag brengt hij meestal op de golfclub door en hij luncht drie keer per week op dezelfde dagen in hetzelfde restaurant, dat La Belle Vie heet en goed aangeschreven staat zonder trendy te zijn. Maandag, woensdag en vrijdag zijn de dagen dat hij zichzelf daar een warme lunch en daardoor een makkelijke avondmaaltijd gunt. Wat er ook in zijn leven met hem gebeurd is, avontuurlijker is hij er kennelijk niet op geworden.

Mij komt die regelmaat wel goed uit. Ik weet nu waar ik hem kan vinden en wanneer. Een vrouw die in haar eentje zit te lunchen valt niet op en het is een prachtige gelegenheid om hem van dichtbij te bekijken.

Terborg heeft een recente foto op het A4'tje geplakt, geknipt uit het personeelsblad van de oliemaatschappij. Een niet onaardig gezicht, glad haar waarvan ik vermoed dat het aan de dunne kant is, een bril die eigentijds is maar niet hip. Niet een man zoals Terborg, voor wie je meteen valt.

'Netwerk,' grijnsde hij toen ik verbaasd vroeg hoe hij aan de foto kwam.

Met mijn kin op mijn handen steunend lees ik telkens opnieuw de summiere beschrijving, in de hoop op iets te stuiten dat een link zou kunnen zijn naar mama. Uiteraard is dat verloren tijd. Ik kijk naar het portret van een man die me niets zegt, en zelfs de gedachte dat hij mijn verwekker zou kunnen zijn roept geen speciale gevoelens bij me op.

Het is goed dat ik gereserveerd heb, want tegen halfeen raakt het ene na het andere tafeltje bezet. Ik ben zo gaan zitten dat ik de ingang van het restaurant in de gaten kan houden. Het A4'tje met de foto heb ik niet meegebracht. Ik kan het gezicht van Bas van Vliet dromen en omdat het volgens Terborg een recente foto is, hoef ik niet bang te zijn dat hij erg veranderd is.

Ik begin net te vrezen dat hij uitgerekend deze dag zijn lunch zal overslaan, als hij binnenkomt. Hij wordt ontvangen als een geziene gast. Een dertiger in een maatpak begeleidt hem naar zijn tafeltje schuin tegenover het mijne en schuift zijn stoel aan. Goddank zit hij met zijn gezicht naar me toe.

Een meisje in net zo'n zakelijke outfit komt al aansnellen met een gevuld glas, dat ze voor hem neerzet, en de kaart. Hij glimlacht naar haar, haalt een bril uit de borstzak van zijn jasje en slaat de kaart open, terwijl hij de eerste slok uit het glas neemt zonder ernaar te kijken.

Niets van wat er gebeurt is ongewoon, en toch kan ik mijn ogen er niet van afhouden. Krankzinnige gedachten schieten door mijn hoofd. Opstaan en luidkeels 'Papa!' roepen, mijn armen gespreid. Het zou niet misstaan in een Italiaanse comedy waarin zo'n gebaar gevolgd zou worden door ontroerd gesnotter van alle aanwezigen terwijl vader en dochter elkaar in de armen sluiten en op de achtergrond een meeslepend muziekje het mooie moment kracht bijzet.

Maar ik zit niet in een filmscène, maar met een glas mineraalwater en een gecompliceerde salade voor me, terwijl de man voor wie ik hier gekomen ben de menukaart dichtklapt en een paar woorden wisselt met het meisje, dat zo snel naast hem stond dat hij haar niet heeft hoeven wenken.

Ik neem een slok water, maar mijn keel blijft droog en ik krijg nauwelijks een hap naar binnen van de salade waarop een sierlijke krul ganzenlever mijn afkeer wekt. Telkens weer moet ik naar de man kijken die zo dichtbij is en tegelijkertijd zo onbereikbaar, en die, zich van niets bewust, kleine hapjes neemt van zijn voorgerecht. Hij heeft een opgevouwen krant naast zich gelegd en eet terwijl hij doorgaat met lezen.

En dan ineens kijkt hij op. Normaal gesproken zou ik snel mijn ogen afwenden, maar het is te laat. Ik blijf kijken en zie een kleine frons tussen zijn wenkbrauwen verschijnen, waarna hij zich weer over zijn krant buigt. Maar kennelijk heb ik zijn aandacht op me gevestigd, want als ik vijf minuten later opnieuw durf te kijken ontmoet ik zijn blik, die met iets van nieuwsgierigheid op me gericht is, en weer krijg ik het niet voor elkaar om nonchalant langs hem heen te kijken.

Ik leg mijn mes en vork op de salade, waarvan ik maar een fractie gegeten heb. Het meisje dat mijn bord weghaalt vraagt bezorgd of er iets niet in orde was. Ik stel haar gerust, en nee, ik wil geen hoofdgerecht, maar wel een espresso.

Als ik die een paar minuten later naar mijn mond breng, merk ik dat hij opnieuw kijkt. Het lijkt alsof de rollen zijn omgedraaid, en hij degene is die op mij let in plaats van andersom.

Ik duw mijn creditcard in het apparaatje dat het meisje voor me neerzet. De meeste mensen zitten nog te eten. Het is druk en gezellig, maar ik heb het benauwd gekregen van de confrontatie en ben blij dat ik naar buiten kan.

Hoofdstuk 12

Opa belt als ik een paar uur heb liggen slapen. Het dringt niet meteen door wat hij zegt en over wie hij het heeft, en hij herhaalt het, met dezelfde beverige intonatie. Het klinkt alsof het een bandje is dat ik nog een keer afdraai om zeker te weten wat er gezegd werd. 'Ze denken aan een herseninfarct.'

Onder het eten liet oma ineens haar vork uit haar handen vallen.

'Wat doe je nou?' had opa gezegd, maar wat ze antwoordde was gebrabbel. 'Ik kon er geen touw aan vastknopen, maar ik zag wel dat er iets aan de hand was.'

Hij belde de huisarts, terwijl oma scheefgezakt in haar stoel bleef zitten. Tien minuten later lag ze in een ambulance.

'Ik kom net uit het ziekenhuis,' zegt hij. Zijn stem klinkt weerloos, en ik zie hem voor me zoals hij nu in de woonkamer met de telefoon aan zijn oor naast het buffet staat. In zijn huis geen flauwekul met mobieltjes. Wat geen snoer heeft is niet te vertrouwen; probeer dat maar eens uit zijn hoofd te praten. En nu is hij op zichzelf aangewezen, een man die nog geen ei kan bakken. Ik durf te wedden dat hij nieuwe onderbroeken gaat kopen als hij door zijn voorraadje schoon goed heen is, want de wasmachine is voor hem ook al zo'n onontgonnen gebied.

Aan zijn stem hoor ik dat hij zich dat terdege bewust is. 'Ik weet niet hoe lang het gaat duren, maar snel zal het niet zijn, zei de dokter. En vanuit het ziekenhuis zal ze waarschijnlijk naar de revalidatie moeten, want zo gaat het meestal.' Zijn stem sterft weg.

Het is twee uur. Rogier is nog lang niet thuis van zijn nachtdienst en zelf ben ik nu zo klaarwakker door het bericht van opa
dat ik nu al weet dat ik de rest van de nacht geen oog meer dicht
zal doen.

'Ik wilde vragen of je het heel erg zou vinden om voorlopig weer
thuis te komen wonen.'

'Natuurlijk kom ik, opa!'

'Ik heb een plastic zak meegekregen met oma's wasje. Dat doen
ze daar niet!' Zijn stem klinkt geschokt en ik weet niet of ik moet
lachen of huilen bij de gedachte aan die kleine man die midden
in de nacht met oma's ondergoed in een plastic draagtasje het ziekenhuis uit is gekomen.

'Ik hoef me alleen maar even aan te kleden. Over een halfuurtje
ben ik bij je.'

'Dank je, kind.'

Opa die 'kind' tegen me zegt. Het is een tijd geleden dat ik dat
voor het laatst uit zijn mond heb gehoord. Het ontroert me, zoals
zijn hele verhaal me heeft ontroerd.

Oma in een ziekenhuisbed. Afgelopen met de regie over haar leven, de ijzeren hand waarmee ze haar omgeving dirigeerde. Straks
zal ik wel horen wat er allemaal mis is met haar. Misschien valt het
nog mee, maar één ding is zeker: ze zal er door die beroerte niet
op vooruit zijn gegaan.

Ik kleed me haastig aan en stop wat kleren in een weekendtas.
Op Rogiers hoofdkussen laat ik een haastig geschreven boodschap achter.

'Wat heerlijk dat je er bent!'

Op elke wang een zoen, ik weet niet wat me overkomt. Opa lijkt
nog kleiner geworden. Hij scharrelt onhandig in de keuken rond
om iets te drinken voor me in te schenken. Om hem niet het ge-

voel te geven dat hij totaal hulpbehoevend is laat ik hem zijn gang maar gaan.

We zitten aan de keukentafel. Hij kan ook niet meer slapen, heeft hij gezegd, en bovendien wil hij telkens weer vertellen hoe zijn wereld veranderde op het moment dat de vork van oma kletterend op haar bord viel.

Het is tegen de ochtend. Buiten is het allang niet donker meer. De vogels zijn zo te horen met vereende krachten aan de nieuwe dag begonnen. Over een paar uur moet ik alweer bij de krant zijn.

'Opa, ik ga toch proberen om nog even wat te slapen.'

Natuurlijk heeft hij geen bed voor me opgemaakt. Waarschijnlijk weet hij niet eens waar oma het linnengoed heeft liggen. Wie had dat gedacht, dat ik ineens weer in de slaapkamer zou liggen waarin ik jarenlang de nachten met mama heb doorgebracht? In de muur zitten nog de punaisegaatjes van de uit tijdschriften geknipte plaatjes die ik ophing. Eigenlijk had oma dat willen verbieden, maar de afspraak was dat mama de heerschappij over haar eigen slaapkamer en zitkamertje had, en daaraan kon zelfs oma niet tornen.

Ik slaap door de wekker heen en kom hijgend een kwartier te laat op mijn werk.

Een paar uur later ontdek ik Rogiers voicemail. Hoe het nu verder gaat, wil hij weten. Of het er nog in zit dat we elkaar af en toe tegenkomen. Al gaat het schrijven hem een stuk makkelijker af nu hij niet door mij wordt afgeleid. Zijn stem klinkt verongelijkt, als die van een dwingend kind dat er de pest in heeft.

Geen woord over oma. Zelfs niet de minste aanwijzing waaruit blijkt dat het tot hem doordringt dat de nieuwe situatie uit nood is ontstaan en niet doordat ik er dringend behoefte aan had. Het irriteert me; hij zou toch een minimum aan belangstelling voor me op kunnen brengen?

87

Ons leven samen was tot voor kort redelijk gezellig, al waren de eerste haarscheurtjes in elk geval voor mij al zichtbaar. Allebei hadden we het gevoel dat er iets aan onze relatie zou moeten veranderen, of misschien aan ons leven. Die dingen zijn soms moeilijk uit elkaar te houden, maar je kunt eruit komen als je graag wilt. Maar voorlopig is die mogelijkheid er niet meer.

Ik ben terug bij af. Terug in het huis waarin ik ben opgegroeid en waar lang niet alle veranderingen prettig zijn. Zo is er de opvallende leegte aan de andere muur van mijn slaapkamer, waar het bed van mama stond. Verkocht aan de buurman, nog geen twee weken na mama's dood. Niet dat het veel opbracht, maar nu had oma eindelijk plaats voor het naaitafeltje en de oude Singer die ze nog van haar moeder had geërfd en die het tot mijn verbijstering nog steeds deed. Het voelde alsof mama's bestaan werd ontkend, alsof haar ouders niet konden wachten met het wegwerken van alles wat aan hun dochter herinnerde. Natuurlijk stak het, maar ik heb er niets over gezegd. Wat had ik er tenslotte nog mee te maken? Zo vaak kwam ik niet meer bij hen over de vloer. Af en toe een gesprekje aan de keukentafel dat gezellig was omdat het nergens over ging.

Een terugkeer heb ik nooit voor mogelijk gehouden, en nu het toch is gebeurd voelt het alsof ik in een val ben getrapt, en kennelijk ondergaat Rogier dat net zo. Het ene moment woonde hij nog met zijn vriendin samen, en het volgende moment was ze verdwenen, god weet voor hoe lang. Eén ding is in elk geval duidelijk: dat de situatie waarin ik me bevind met hem bespreekbaar is, kan ik wel vergeten.

Oma ligt op haar rug; haar ogen op ons gericht, maar aan niets merk ik dat ze ons herkent. Ik kijk naar haar scheefgetrokken mondhoek, haar handen die vreemd krachteloos op het witte laken liggen.

'Fie, we zijn er, hoor!' roept opa in haar oor.

Er verandert niets in haar gezicht.

'Fie, je herkent ons toch wel?'

Ik weet opa er met moeite van te weerhouden om nog meer boodschappen in oma's oor te schreeuwen en zwijgend zitten we aan weerszijden van het bed, met allebei onze hand op een hand van oma.

Na tien minuten doet mijn rug pijn van de ongemakkelijke houding en begint de vermoeidheid toe te slaan. Ik ben met moeite de dag doorgekomen, maar als ik nu niet op korte termijn in een bed terechtkom val ik staande in slaap. Ik geef opa een wenk en hij staat opgelucht op.

'Zou ze merken dat we weggegaan zijn?' vraagt hij op de gang.

Ik zeg dat ik het niet weet, dat ik denk van niet, maar dat het moeilijk is om te weten wat iemand die niet reageert wel of niet merkt.

Thuis maak ik een simpele maaltijd voor ons klaar met de boodschappen die ik tijdens de lunchpauze heb gedaan. Half slapend doe ik de vaat en een kwartier later lig ik in bed, waar ik me vlak voordat ik in slaap val realiseer dat ik er niet toe gekomen ben om Rogier te bellen. Van hem heb ik trouwens ook niets gehoord en dat is vreemd.

Hoofdstuk 13

Het is wonderlijk hoe snel ik gewend ben aan het ritme van mijn nieuwe leven. Ik woon nu samen met een oude man die nooit een vinger heeft uitgestoken in de huishouding en ook absoluut niet van plan is dat op zijn leeftijd nog te gaan doen. Maar ik heb daar andere ideeën over.

'Hier is de theedoek, opa. Eerst even afdrogen, dan krijgt u koffie.'

Binnen vijf minuten heeft hij demonstratief een kopje op de tegelvloer kapot laten vallen. 'Zie je wel, kind, dat ik het niet kan?'

'Dat denkt u maar. We zijn nog maar met z'n tweeën, dus er zijn hoe dan ook te veel kopjes in huis. U zult zien hoe snel u het leert.'

Hij moppert. Hij pruilt. Hij verzint uitvluchten. Maar op dag vijf zegt hij als we ons bord leeg hebben: 'Laten we maar meteen afwassen, kind, dan hebben we dat tenminste gehad.' De klassieke manier waarop huisvrouwen vervelende taken benaderen.

Boodschappen heeft hij ook nooit hoeven doen.

'Hier is een boodschappenbriefje, opa. Gewoon bij de slager voorlezen wat erop staat. En als u tot tien kunt tellen kunt u ook afrekenen.'

Nooit in de jaren dat ik in dit huis heb gewoond is tot me doorgedrongen dat oma alles in haar eentje deed. Geen wonder dat ze hem vaak behandelde als iets waaraan ze gewend was zonder het per se nodig te hebben. Een geborduurd kussen. Een oude kater die dagen op de vensterbank doorbrengt. Een plant die je water blijft geven omdat het anders zielig is.

Zware en onhandige boodschappen doe ik met de Mini. Ik zou de rest ook kunnen doen, maar dat lijkt me geen goed idee, omdat opa er net een beetje aan begint te wennen dat de tijd dat alles voor hem gedaan werd voorlopig voorbij is.

Wat het herseninfarct precies in het hoofd van oma heeft aangericht, is nog niet duidelijk, en hoe dan ook kunnen we een spoedige thuiskomst wel vergeten, terwijl er bovendien rekening mee gehouden moet worden dat ze nooit meer de oude zal zijn. Wat in haar geval betekent dat het huishouden doen zoals ze haar leven lang gewend is geweest, tot het verleden behoort.

'Wat een bof dat we jou hebben, kind,' zegt opa na het gesprek met de neuroloog, en het dringt tot me door dat wat opa betreft de toekomst veilig is gesteld. Maar bij mij veroorzaakt zijn opmerking alarmfase één.

'En hoe is het aan het front?' vraagt Terborg.

'Het front heeft zich verplaatst,' zeg ik, en ik vertel over het herseninfarct van oma en hoe ik daardoor ineens in de mantelzorg terecht ben gekomen.

'Dus je hebt nog geen contact gehad met Bas van Vliet?'

'Oogcontact,' zeg ik. 'En ik was net van plan om deze week weer eens in La Belle Vie te gaan lunchen.'

'Nou, dat schiet dan lekker op,' vindt hij.

Het klinkt als de afsluiting van ons telefoongesprek, maar tot mijn verbazing vraagt hij of ik deze avond een hapje met hem wil eten.

'Morgen vertrek ik voor een maand naar mijn huis in Frankrijk. Het heeft te lang leeggestaan en bovendien verlang ik naar het leven daar. Het is me hier te vol en te druk. Je zou een keer mee moeten gaan. Je hebt geen idee hoe het je geest verruimt, dat weidse uitzicht, de rust, het gevoel dat je niets hoeft en dat alles kan. Ik breng vanavond wel een paar foto's mee, dan kun je zien wat je misloopt, want jij lijkt me wel iemand die het raar vindt om met een vreemde man in hetzelfde huis te zijn.'

Opa reageert heftig als ik hem voorzichtig vertel dat ik niet eindeloos bij hem in huis kan blijven wonen. 'En ik dan?'

'Ik laat u niet in de steek, opa. Maar het kan ook niet zo doorgaan. Ik kan echt niet elke avond voor u blijven koken, en dat is ook niet nodig. Het ziekenhuisrestaurant is helemaal niet slecht. Als u daar eet hoeft u bovendien niet twee keer op en neer naar oma.'

'Ik moet geen patiëntenvoer!' Hij ziet eruit als een kwaad kind.

Ik leg uit dat er in het restaurant andere dingen te krijgen zijn dan wat aan de patiënten wordt voorgezet, maar ik kan niet ontkennen dat het een noodoplossing is en meer een kwestie van gemak dan van fijnproeverij.

'Ik kook toch ook niet zo geweldig, opa?'

Hij ontkent het niet, want in die dingen is hij rechtlijnig eerlijk. 'Maar wel alles vers,' zegt hij. 'En uit mijn eigen keuken!'

Vooral tegen dat laatste argument is weinig in te brengen. 'Ik ga een paar keer met u eten in het ziekenhuis, opa. Dan weet u hoe het werkt. U zult eens zien hoe gemakkelijk u het gaat vinden!'

'Dan kun je lang wachten!'

Ik probeer om zonder hem te kwetsen uit te leggen dat ik ook nog zoiets als een eigen leven heb. Dat ik de eerste twee weken van oma's verblijf in het ziekenhuis heb opgevangen, maar dat ik nu toch echt weer naar mijn eigen huis wil.

Hij kijkt alsof zijn wereld dreigt in te storten.

'Opa, ik kom hier drie avonden per week koken. Dus u hoeft maar vier avonden in het ziekenhuisrestaurant te eten,' zeg ik.

'En waar slaap je dan?'

Dat is de volgende klap die ik ga toedienen. 'Vanaf morgenavond slaap ik weer thuis. De avonden dat ik hier kook, ga ik na de vaat weg. De andere avonden kom ik niet. Ik weet ook niet hoe ik het anders moet regelen, opa. Dit is echt voor ons allebei de beste oplossing.'

'Voor jezelf, zul je bedoelen!'

Als hij zo praat, klinkt hij als een kopie van oma en het wekt dezelfde ergernis bij me op, alhoewel het nu tegen schuldgevoel aanleunt.

'U kunt me altijd bellen, opa. U weet hoe snel ik er dan ben.'

Maar hij laat zich niet sussen. 'Nou, ga dan maar,' zegt hij, en als ik nog een laatste kop koffie voor hem neerzet knijpt hij zijn lippen op elkaar, zodat ik maar afzie van een zoen.

Het breekt mijn hart als ik me bij de keukendeur omdraai en opa een beetje in elkaar gezakt over zijn krant gebogen zie zitten, oud en breekbaar. Het lamplicht laat door de dunne haartjes op zijn hoofd heen zijn schedel roze glanzen. Als hij opgekeken had zou ik mijn plannen veranderd hebben en de afspraak met Terborg hebben afgezegd. Maar hij gromt: 'Gá dan!' zonder op te kijken, en ik sluit zacht de deur achter me.

Het restaurant waar Terborg me mee naartoe neemt is klein en naar de gasten te oordelen trendy, en ik zie na één minuut al dat ik een verkeerde outfit aanheb.

Maar Terborg schijnt het niet te deren. Hij is charmant en hoffelijk, bestelt wijn die ik alleen van naam ken, en raadt me gerechten aan waarvan hij zeker weet dat ik ze lekker zal vinden, al kan hij dat met geen mogelijkheid weten.

Ik heb nooit eerder mannen zoals hij ontmoet: aantrekkelijk en zelfbewust. Alles bij hem klopt, van zijn manier van praten tot de kleren die hij draagt, en onwillekeurig vergelijk ik hem met Rogier, waardoor ik moeite heb mijn gedachten bij zijn verhaal te houden.

'Van Vliet,' zegt hij, 'daar moet je nu toch echt wat vaart achter zetten. Waar wacht je nog op? Je weet wie hij is, waar hij woont en je hebt een prangende vraag. Stél hem!'

'En je denkt dat hij dan zegt: "Ja, ik ben je vader!"'

'Waarschijnlijk niet, maar dat risico loop je. Het zou me eerlijk gezegd verbazen als hij het zou toegeven.' Hij haalt zijn schouders op. 'Maar je bent dan wel in één klap van je probleem verlost. Als iedereen ontkent is niemand je vader, en dat is exact de positie waarin je nu ook al zit, dus wat maakt het uit? Je hebt alles geprobeerd en het is niet gelukt. Einde verhaal. Over tot de orde van de dag.'

Ik zwijg. Het gemak waarmee hij ervan uitgaat dat mijn zoektocht geen succes zal hebben bevalt me niet.

'Ik weet wat je denkt,' zegt hij. 'Maar je moet rekening houden met de realiteit. Hoe beter je voorbereid bent, hoe minder hard straks de klap aankomt. Maar je moet natuurlijk zelf weten hoe je het wilt aanpakken.'

En, zonder mijn reactie af te wachten: 'De foto's van mijn Franse huis!' Hij haalt een cameraatje tevoorschijn, drukt wat knopjes in en schuift het in mijn richting.

Het beeld is haarscherp. Ik kijk naar de langgerekte boerderij, opgebouwd uit grove blokken steen, zo te zien rechtstreeks uit een rots gehakt. De lage deuropeningen en de kozijnen van de kleine ramen zijn blauw geschilderd. Het dak bestaat uit leistenen. Een klimroos bedekt de muur met tientallen plekken vurig rood. Weelderige hortensia's staan vol bloemen in diverse tinten bleekroze tot diepblauw. Het is een huis om op slag verliefd op te worden. Onder een hoge beuk staan een paar auto's geparkeerd.

'Het ligt in de buurt van Saint-Ilpize, een woest gebied met bergen en ravijnen in *the middle of nowhere*,' zegt Terborg. 'Klik maar door; dan krijg je een beetje een indruk.'

De achterkant van hetzelfde huis, begroeid met glanzend groene klimop. En ook hier weer klimrozen en hortensia's, die het daar kennelijk naar hun zin hebben. Meer naar achteren de glinstering van blauw water, parasols en ligstoelen met matrassen eromheen. Iemand is aan het zwemmen, een gebruinde arm glanzend boven het wateroppervlak, druppels als diamantjes erboven. De achtergrond is spectaculair. Het terrein loopt kennelijk uit op een dal. Ver weg, aan de overkant, is een steile helling begroeid met struiken en bomen, en daarachter hangt een blauwgrijze nevel die het gebergte omgeeft.

Op de volgende foto's zie ik het uit zijn krachten gegroeide dorp waar hij zijn dagelijkse boodschappen doet.

Een pleintje met een jeu de boules-baan en een paar mannen eromheen. Een cafeetje met twee tafeltjes en wat stoelen ervoor. De *supermarché* en natuurlijk de bakker waar iedereen dagelijks z'n verse stokbrood haalt.

'Geweldig!' zeg ik terwijl ik het cameraatje teruggeef.

'Ik was twaalf toen mijn ouders de boerderij kochten. Vanaf mijn zestiende ben ik er regelmatig alleen geweest. Mijn ouders konden niet zo vaak gaan door het werk van mijn vader en ik vond het heerlijk om daar te zitten, een beetje te klussen en vrienden uit te nodigen. Mijn ouders hielden van het huis, maar toen verongelukte mijn moeder een paar kilometer hiervandaan...'

'Wat is er gebeurd?'

'Het was oktober. Mijn ouders waren dan altijd hier om het huis klaar te maken voor de winter. Die keer was ik meegekomen. Dat was een uitzondering, want mijn vader en ik hebben nooit met elkaar kunnen opschieten. Mijn moeder was iets vergeten dat ze nodig had voor het eten. Ze ging snel even met de auto naar het dorp – een eindje van niets, maar ze kwam niet meer terug. Een dag later is de auto uit het ravijn getakeld. Ze was eruit geslingerd. Mijn vader heeft nooit meer een voet in het huis willen zetten. Nu zou het ook niet meer kunnen. Alzheimer. Sindsdien ben ik er meestal alleen. Het is een perfecte plek om op adem te komen. Als je zin hebt, mail je maar. Ik zit er vanaf het komende weekend.'

Hij kijkt me onderzoekend aan. 'Je peinst er niet over, hè?'

Ik glimlach. 'We zullen zien.'

Het dessert wordt voor ons neergezet. Laagjes dun knapperig feuilletédeeg met room ertussen en verse vruchten erop. Een soort tompouce, maar dan wel erg geraffineerd.

'Koffie?' vraagt hij.

Het lijkt alsof we ineens zijn uitgepraat. Het zwijgen tussen ons geeft me een ongemakkelijk gevoel, zodat ik blij ben als we buiten lopen. Hij brengt me naar de Mini.

'Fijne vakantie,' zeg ik terwijl ik mijn hand uitsteek.

Hij buigt zich naar me over, zijn mond raakt vluchtig mijn wang. 'Tot gauw in Frankrijk,' zegt hij.

Oma herkent me, ik zie het aan haar ogen, die me bij elke beweging volgen. Ze mompelt iets onverstaanbaars. Ik buig me over haar heen en geef haar een zoen.

'Opa was een beetje moe, hij blijft lekker een keertje thuis terwijl ik hier ben.'

Ik schik de babyroosjes in het vaasje dat ik heb meegebracht. 'Mooi hè, oma?' Ik zet ze op het kastje naast haar bed.

Als ik het krukje onder het bed vandaan heb geschoven en naast haar zit, zie ik tranen over haar wangen glijden.

'Oma, wat krijgen we nou? Zoals het nu is blijft het echt niet, daar hoef je niet bang voor te zijn. Het kan heel veel beter worden, heeft de dokter gezegd. Ze gaan elke dag met je oefenen, en elke dag ga je dan een beetje vooruit.'

Ik klets maar wat, want in feite heb ik geen idee hoe het verder zal gaan. Revalidatie zal absoluut verschil maken, heeft de neuroloog gezegd, maar in hoeverre er functies terugkomen, en welke, is op dit moment nog niet duidelijk. Niet bepaald een bemoedigende boodschap als je machteloos in je bed ligt.

'Vind je het vervelend dat opa er niet is?' vraag ik terwijl ik haar tranen dep met een papieren zakdoekje.

Ik heb voor hem gekookt voordat ik naar het ziekenhuis ging. Hij is mager geworden de afgelopen weken. Het rustige, voorspelbare leven dat hij leidde is volkomen overhoop gegooid en op zijn leeftijd hakt dat er behoorlijk in. Eerst mama dood, nu oma in het ziekenhuis, en daar zit hij dan, volstrekt verloren nu er niet de hele dag iemand om hem heen is om voor hem te zorgen. Een man bij wie het zelfs niet opkomt om een paar schemerlampen aan te doen als het donker wordt. Een peertje boven de keukentafel zodat hij zijn krant kan lezen – op meer ideeën komt hij niet.

Voor ik kan koken moet ik eerst het aanrecht leegruimen, waar hij lukraak alles op zet wat hij kwijt wil. Afdrogen wat ik in het afdruiprek zet gaat nog net, maar zodra ik uit de buurt ben is elke vorm van activiteit bij hem verdwenen.

'Het gaat goed met opa thuis,' lieg ik opgewekt, terwijl ik oma's hand streel. 'Daar zul je nog eens verbaasd over zijn, als je weer thuis bent. Dat wordt vechten wie de vaat mag doen.'

Verbeeld ik het me of zie ik iets dat op een glimlach lijkt langs haar mond trekken?

Hoofdstuk 14

Ik ben alweer een van de eerste lunchgasten in La Belle Vie, en ik zit met een glas campari-soda voor me, waarin ik eigenlijk geen trek heb, als Bas van Vliet binnenkomt.

De manager komt net als de vorige keer op hem afsnellen, maar Van Vliet wuift hem weg. Hij blijft bij de ingang van het restaurant staan en zijn ogen dwalen langs de tafeltjes, totdat ze bij het mijne zijn aangeland. Ik vergis me niet: over zijn gezicht glijdt iets dat op een verheugde glimlach lijkt, en dan zie ik tot mijn verbijstering dat hij rechtstreeks op me af koerst. Even later staat hij tegenover me.

'Ik ben blij dat u er weer bent,' zegt hij. 'De vorige keer dat u hier was kreeg ik sterk het idee dat we elkaar ergens van kennen. Ik kan me bijna niet vergissen.'

Hij steekt zijn hand uit en noemt zijn naam.

'Lot van de Wetering,' hoor ik mezelf zeggen.

Ik heb geen idee waar ik die achternaam ineens vandaan heb gehaald, en nog minder waarom ik in een split second de beslissing heb genomen om niet te onthullen dat ik de dochter van zijn vroegere vriendin ben.

'Van de Wetering...' Zijn stem klinkt licht teleurgesteld. 'Nee, dat zegt me niets. Maar toch, nog steeds zie ik in u iets dat me bekend voorkomt. Het zijn uw ogen, denk ik. Mag ik bij u komen zitten? Ik zie dat u ook nog niets te eten besteld hebt.'

We zitten tegenover elkaar. Het meisje dat meteen naast hem

staat laat niets van verbazing merken als ze vraagt of het de bedoeling is dat hij aan dit tafeltje zijn lunch gebruikt. Ze dekt snel de tafel aan zijn kant, verdwijnt even en komt net als de vorige keer terug met een drankje dat hij niet heeft hoeven bestellen.

'Kir royal,' zegt hij met een glimlach terwijl hij zijn glas heft. 'Een beetje een vrouwendrankje, maar ik hou ervan. U moet het ook eens proberen.'

Ik knik.

Het is bijna onmogelijk mijn ogen af te wenden van het gezicht dat zo dicht bij dat van mama is geweest. In dat hoofd tegenover me zit een schat aan informatie. Het kan niet anders of ze hebben persoonlijke gesprekken gevoerd, al die middagen dat ze samen in zijn kamer zaten. Je kunt niet uur na uur alleen maar met leerstof bezig zijn. Hij moet beter dan wie ook weten hoe ze was en wat ze dacht.

Volgens Terborg waren ze minnaars, ook na het eindexamen. Mama in bed met deze man – nee, natuurlijk niet. Mama als meisje met deze man, die toen een jongen was. Het staat zo ver van me af dat ik er geen enkel gevoel bij heb. Toch wijst alles erop dat hij de man is die ik zoek, de man die me verwekt heeft en die ik 'vader' zou kunnen noemen, als het niet zo bizar zou zijn om dat te zeggen tegen iemand die ik niet ken en die zich nergens van bewust is.

'Is er iets?' vraagt hij, en ik realiseer me dat ik hem al een poosje zwijgend zit aan te kijken.

'Sorry, ik had dat gevoel van herkenning ook de vorige keer. Maar nu ben ik er niet meer zeker van. Hebt u altijd in deze plaats gewoond? Er zijn mensen van wie je het gevoel hebt dat je ze kent doordat je ze regelmatig ergens in de stad bent tegengekomen.'

Hij zegt dat hij op een aantal buitenlandse jaren na inderdaad al zijn hele leven in deze plaats woont. Geboren en getogen. Kleuterschool, basisschool en daarna Het Hoogland – ach, wie zat daar niet op? Zelfs zijn dochters zijn oud-leerlingen.

'Ik zat er niet op,' zeg ik. 'Ik heb altijd op montessorischolen ge-zeten. Het Hoogland is aan me voorbijgegaan. Het moet een goe-de school zijn.'

Hij knikt. 'Kortgeleden is er een reünie geweest. Het was bijzon-der om na jaren weer klasgenoten terug te zien.'

'Ik heb nog nooit een reünie meegemaakt,' zeg ik. 'Het lijkt me spannend om na vijfentwintig jaar iemand te ontmoeten op wie je ooit verliefd bent geweest.'

Er verandert iets in zijn gezicht als hij zegt: 'Niet iedereen komt naar zo'n reünie.'

'U bedoelt dat zij er niet was?'

'Nee.' Zijn stem klinkt kortaf, bijna afwijzend. 'Nee, ze was er niet.'

En na een paar minuten, alsof hij zich bewust is van de indruk die zijn reactie op me gemaakt heeft: 'Als ze er wel was geweest zou het niet veel aan de situatie veranderd hebben. Maar laten we lie-ver over iets anders praten.'

Het is verwarrend. En dan druk ik me nog heel voorzichtig uit: mijn vader, die wat mij betreft eerst de foto van een filmacteur was en vervolgens de lafaard die mijn zwangere moeder in de steek heeft gelaten, zou de man kunnen zijn die tegenover me zorgvul-dig plakjes van zijn coquilles snijdt. Af en toe neemt hij een slok-je van zijn Pouilly-Fumé. Bezigheden die hij combineert met een gesprekje met mij.

Ik vraag me af hoe hij mij ziet: een vrouw die op een middag op-dook in La Belle Vie, zijn aandacht trok door hem ongegeneerd aan te staren en aan wie hij zich deze middag min of meer heeft opgedrongen. Naar dit moment heb ik toegeleefd, en verdomd, ik heb aardig wat werk verzet om zover te komen. Maar nu ik op min-der dan een meter afstand van hem zit voel ik helemaal niets. Geen woede, geen rancune, en ook nauwelijks nieuwsgierigheid. Even was er dat gevoel in mijn maag toen hij het had over een school-verliefdheid, waarmee hij niemand anders dan mijn moeder kon bedoelen. Maar wat hebben de moeder die ik heb gekend en het meisje op wie hij ooit verliefd was met elkaar te maken?

'Wij hoeven het niet meer te weten,' zei oma een van de laatste keren dat ik haar sprak voor haar ziekenhuisopname. 'Het is nu te laat.'

Op dat moment vond ik het een onbegrijpelijke uitspraak, maar nu ik met Van Vliet aan tafel zit, wordt hij ineens een stuk duide-lijker.

'Nu doet u het weer!' zegt hij, zijn glas wijn zwevend tussen tafel en mond. 'Me aanstaren!'

'Sorry,' zeg ik. 'U doet me denken aan iemand die uit mijn leven verdwenen is voordat ik hem goed kon leren kennen.'

'Dat klinkt dramatisch en romantisch tegelijk,' zegt hij. 'Mijn dochter zou zo'n uitspraak kunnen doen. Barbara. Begin twintig is ze. Ze heeft een dochtertje van bijna drie. Vond het nodig om op haar achttiende haar toekomst te vergooien door zwanger te worden. Ze was nogal jong voor het moederschap, vind ik. Op die leeftijd heb je nog niet geleefd.'

'Is er ook nog ergens een vader *in the picture*?'

'O ja, zeker wel. Die studeert informatica. Hij komt af en toe langs. Als hij afgestudeerd is en een baan heeft gaat hij een maan-delijkse bijdrage betalen, heb ik contractueel vast laten leggen.'

'Hebt ú dat vast laten leggen?'

'Barbara wilde het niet. Ze kan zichzelf wel redden, vindt ze. Maar dat ontslaat hem nog niet van de verplichting voor zijn kind te zorgen.'

'Denkt hij daar ook zo over?'

'Het zal me een zorg zijn hoe hij erover denkt. Hij heeft een kind verwekt, en dat heeft consequenties.'

'Is het zo simpel?'

'Ja, zo simpel is het!'

Ik zwijg en blijf hem aankijken, en zie de woede wegtrekken uit zijn ogen.

'Ze ontdekte het nogal aan de late kant. Het was een paar maanden uit met haar vriendje, ze was er erg *upset* over, en toen overleed haar moeder. Ze was al zes maanden zwanger toen ze het ontdekte. Dan is er niet veel meer aan te doen, zelfs als ze dat gewild zou hebben. Maar in zekere zin was ze blij met het kind in haar buik. Het was een soort troost. Iets positiefs in een nare tijd. Ja, vreemd genoeg was dat voor mij ook zo. Begrijpt u, een babykamer inrichten, bezig zijn met nieuw leven, in een huis vol herinneringen aan een leven dat nog maar zo kort tevoren verdwenen was.'

Hij buigt zich naar me toe. 'U hebt een vreemde uitwerking op me. Ik praat nooit zo makkelijk over persoonlijke dingen, zeker niet met mensen die ik voor het eerst ontmoet. Ik vind eigenlijk dat het uw beurt is om te vertellen.'

Ik schud mijn hoofd. 'Ik had allang weer op mijn werk moeten zijn.'

'Een volgende keer dan. We laten het hier toch niet bij? Waar kan ik u bereiken?'

Ik doe alsof ik in mijn tas naar een kaartje zoek. Mijn hand komt leeg weer tevoorschijn omdat ik bijtijds bedenk dat de naam waarmee ik me voorstelde niet klopt met de naam op mijn kaartje.

'Ik schrijf het wel op.' Hij heeft zijn vulpen al in zijn hand en noteert mijn mobiele nummer nauwgezet op de achterkant van zijn eigen kaartje en haalt voor mij een ander kaartje uit zijn portefeuille. Ik steek het in mijn tas zonder ernaar te kijken. Waarom zou ik ook? Alles wat erop staat heb ik thuis op een A4'tje.

Ik kijk op mijn horloge. Twee uur in de middag. Meestal loopt Rogier om deze tijd op blote voeten door de flat, ongewassen, ongeschoren, krabbend aan zijn borstharen, met wijd open mond geeuwend – zijn manier om aan de nieuwe dag te wennen, ook al weet hij dat het me met afkeer vervult om hem zo te zien.

'Kom aan...' mompel ik. 'De telefoon opnemen is toch het minste wat je kunt doen!' Maar ik krijg zijn voicemail en spreek in dat ik vandaag weer thuiskom, zodat we zijn vrije avond samen kunnen vieren zoals we altijd al deden voordat de ziekte van oma er een abrupt einde aan maakte.

Bij een traiteur haal ik zijn lievelingsgerechten. Ik heb zin om hem te verwennen. Ons leven heeft nu lang genoeg om mij gedraaid. Iets met rivierkreeftjes en zalm moet het worden, een quiche die alleen nog maar even in de oven hoeft, knapperend verse broodjes, een krabsla en een betere wijn dan de slobberwijn die hij altijd meebrengt en die bij elke slok harpoenen op mijn maagwand afvuurt.

In een opwelling koop ik een armvol bloemen, waarvan ik weet dat die maar een paar dagen zullen staan in onze warme woonkamer, maar ik heb behoefte aan kleur om me heen.

Als ik opgewekt Rogiers naam roep wanneer ik de flat binnenkom, krijg ik geen antwoord. Hij is niet in de woonkamer, niet in de slaapkamer, niet in de douchecel en niet op de wc. Meer mogelijkheden zijn er niet.

Ik leg de etenswaren in de koelkast en zet de bloemen in het water. Daarna zet ik een paar vruchtenyoghurtjes en twee plakken snijkoek op een dienblad en maak een pot thee.

Dat wordt een ouderwets avondje televisiekijken, beloof ik mezelf, zonder dat ik rekening hoef te houden met de smaak van Rogier, die alles wat ik leuk vind romantische shit noemt en alleen geïnteresseerd raakt als een gangster in een Tarentino-film op het ritme van de muziek een andere gangster een oor afsnijdt. Maar de avond is in het water gevallen, het valt niet te ontkennen. Rogier heeft geen briefje achtergelaten, bellen doet hij evenmin, en ik peins er niet over om hem te bellen, iets wat hij misschien verwacht – maar dan heeft hij pech gehad.

De televisie valt tegen, maar dat ik in mijn eentje driekwart fles wijn drink maakt weer iets goed, terwijl ik er bovendien als een blok door in slaap val.

Als Rogier tegen zessen de slaapkamer binnensluipt doe ik alsof ik slaap, maar wanneer hij naast me in bed kruip kan ik me niet inhouden. 'Plezier gehad?' vraag ik.

'Nou en of!' zegt hij.

Een paar minuten later hoor ik aan zijn ademhaling dat hij slaapt.

Hoofdstuk 15

Bas van Vliet belt tien dagen nadat hij in La Belle Vie aan mijn tafeltje is komen zitten, en verontschuldigt zich. Hij was een weekje naar zijn dochter in Manchester; het was er niet eerder van gekomen om te bellen.

Ik vraag waarom hij zich verontschuldigt.

Omdat het logischer geweest zou zijn om meteen de volgende dag te bellen, en omdat ik dat misschien wel van hem verwachtte. Hij heeft doorlopend aan me gedacht, zegt hij. En aan ons gesprek in La Belle Vie, ook daar in Manchester, waar zijn dochter ongelukkig is omdat ze niemand kent en een huilbaby heeft, waardoor ze soms niet met hem alleen durft te zijn uit angst... nou ja, gewoon niet alleen durft te zijn. Dat het pijn deed haar niet te kunnen helpen, omdat het ouders eigen is hun kinderen te willen helpen. Waarna hij er het zwijgen toe doet.

Omdat ik niets speciaals te melden heb zwijg ik ook, zodat het een poos stil is, wat vreemd is als je met een mobiel tegen je oor gedrukt zit.

'Zie je,' zegt hij dan, 'dat bedoel ik. Zodra ik met jou praat begin ik over privédingen. Het voelt alsof we een periode hebben overgeslagen – die van de nadere kennismaking. Dat is toch heel bijzonder.'

Ik zeg dat ik het ook heel bijzonder vind, en na een kleine pauze vraagt hij wanneer we elkaar weer zien. Als ik een dag noem reageert hij teleurgesteld. Hij had gehoopt dat ik eerder zou kunnen, maar mijn agenda begint langzamerhand dicht te groeien. Ik ben omringd door mensen die aan me trekken, of me in elk geval het gevoel geven dat ik me meer met ze zou moeten bemoeien. Zoals Sylvie, die me eergisteren belde en zo graag nog eens met me zou willen praten over haar dochter. Ik heb het beloofd. Ze staat dichter bij me dan mijn eigen familie, omdat haar dochter de beste vriendin was van mama en ik met haar op een normale manier over die tijd kan praten. Maar de belangrijkste reden dat ik de afspraak met Van Vliet voor me uit schuif is dat ik niet al te happig wil reageren. Hij is de vis die ik wil binnenhalen, en niet omgekeerd.

'Als het niet anders kan!' probeert hij.

En ik zeg streng dat het inderdaad niet anders kan.

Tussen Rogier en mij lijkt alles bij het oude, terwijl de werkelijkheid totaal veranderd is.

Ik heb de afgelopen tijd zoveel mensen gesproken, naar zoveel verhalen geluisterd, dat het voelt alsof ik verschillende levens tegelijk leef. Mijn hoofd zit vol, en ik kan nauwelijks belangstelling opbrengen voor wat hij vertelt. En hij merkt het. Hij houdt midden in een zin op met praten en trekt zich terug in de slaapkamer, waar ik hem als ik naar bed ga over zijn computer gebogen aantref.

Ik verstik zijn creativiteit, heeft hij een keer gezegd. Dat kwam hard aan, vooral omdat ik heel goed begreep wat hij bedoelde en wist dat hij gelijk had. Er zijn momenten dat er iets terugkomt van mijn gevoel voor hem, als ik een paar glazen wijn drink en vanuit een welwillende nevel naar hem kijk en hem er wel lekker uit vind zien in die strakke jeans en dat losse T-shirt om zijn getrainde schouders, iets wat hij feilloos aanvoelt en waarvan hij meteen gebruikmaakt. Maar zodra hij de Kleenex naar me heeft geschoven, zich heeft omgedraaid en luidruchtig ademend in slaap valt, voel ik de zwaarte van de vergissing op me drukken. Het besef dat ik in het verkeerde huis zit, met de verkeerde man, aan wie ik desondanks gehecht ben. Waarom ik ons leven ineens zo glashelder zie begrijp ik niet, en ik word er niet vrolijker van.

'Slecht geslapen?' informeert Bas van Vliet zodra ik tegenover hem zit aan het tafeltje in La Belle Vie waaraan hij al op me zit te wachten. Het is eerder een opmerking die je tegen een dochter maakt dan tegen een vrouw met wie je een afspraakje hebt.

Om ons heen zitten de mensen die altijd in La Belle Vie zitten tijdens de lunch, en die inwisselbaar lijken. Dezelfde zakenman met dezelfde aantrekkelijke secretaresse. Dezelfde vriendinnen die licht naar elkaar toe gebogen hun relaties bespreken en ondertussen te veel witte wijn drinken. Ik vraag me af bij welk stereotype Van Vliet en ik passen. De oudere man met de jonge vrouw die hij probeert te versieren lijkt nog het meest waarschijnlijke.

Ik glimlach vaag als antwoord op zijn vraag naar mijn nachtrust, zoals je kunt verwachten van iemand die slecht geslapen heeft, en hij laat het onderwerp rusten. Dat komt me goed uit, want ik heb voor deze ontmoeting andere onderwerpen in gedachten. Ik wil dat hij me bij zich thuis uitnodigt, in het riante huis waar ik al een paar keer langs ben gereden met de Mini, waarbij ik mezelf wijsmaakte dat ik er had kunnen wonen als mama het handiger had aangepakt en hij loyaler geweest zou zijn.

De werkelijkheid is dat ik geen enkele zekerheid, geen enkel bewijs heb. Het verhaal van Terborg is logisch, maar ook niet meer dan dat. Het punt is dat ik niet wíl twijfelen. Ik ben moe van het zoeken naar mijn vader en van de onzekerheid. Dit is de plek waar ik wil dat een nieuwe fase begint. De fase waarin ik het verleden dat ik had kunnen hebben tot in detail in kaart ga brengen.

Ik wil niet alleen in het huis van Van Vliet komen, ik wil er ook alle kamers zien, allemaal. Van de kelder tot de zolder met de grote hanenbalken waaraan waarschijnlijk nog de haken hangen waaraan de schommel bevestigd was, zodat zijn dochters het bij slecht weer evengoed nog leuk konden hebben. Ik wil hun slaapkamers zien, want Van Vliet taxeer ik als iemand die de kamers van zijn dochters laat zoals ze waren toen ze vertrokken. Altijd klaar en voorbereid op hun terugkomst, ooit. Je kunt immers niet weten, en anders doen de kamers dienst als kleine monumentjes uit de tijd dat hij vader van een gezin was en niet zoals nu een man alleen, hunkerend naar gezelschap om de nostalgie mee te delen.

Maar hij heeft ook een programma voor deze lunch. Hij wil over zijn vrouw praten, haar als het ware laten delen in onze ontmoeting, haar als onzichtbare derde aanwezig laten zijn. Dat is zijn oplossing voor een situatie die hij als een soort ontrouw voelt. Het verhaal over zijn vrouw duurt vanaf de kir via zijn lievelingsvoorgerecht met coquilles dat hij me heeft aanbevolen tot de laatste hap van de verrukkelijke pasta. Maar dan ben ik ook volkomen op de hoogte van haar jeugd als rijk meisje in Bloemendaal, hun harmonieuze huwelijk en haar vergeefse strijd tegen borstkanker.

'Je weet niet wat het voor me betekent om weer eens over haar te kunnen praten,' zegt hij terwijl hij met zijn servet zijn mond bet. 'Maar van jou weet ik nog steeds bijna niets. Eigenlijk ben je een mysterieuze vrouw. Ik weet niet eens waar je woont.'

Dit keer kom ik er niet onderuit. Ik kan mijn adres niet blijven verzwijgen, dus noem ik de straat waarin ik ben opgegroeid.

Als hij verbaasd is, laat hij dat in elk geval niet merken. 'En daar woon je alleen?'

Het is de vraag die ik al eerder had verwacht en waarop ik ben voorbereid. 'Bij mijn grootouders. Ik ben een tijdje weg geweest, maar nu ben ik mijn leven aan het reorganiseren.' Een vaag verhaal. Met aanknopingsmogelijkheden, dat wel.

'Grootouders?' zegt hij. 'Niet je ouders?'

'Nee, niet mijn ouders.'

Het klinkt zoals ik wil dat het klinkt: als een onderwerp waarover ik niet verder wil praten.

'Er valt vast nog wel wat meer over jezelf te melden,' zegt hij als zijn espresso en mijn cappuccino voor ons op tafel staan.

'Niet iets dat jou erg zal boeien.'

Hij glimlacht.

'Oké, ik begrijp dat ik de tijd moet nemen om jou beter te leren kennen. Wanneer zien we elkaar weer?'

'Hier?' vraag ik.

'Waar je wilt.'

'Bij jou thuis.'

Er verandert iets in zijn gezicht. Verbazing en hoop wisselen elkaar af. Een vrouw die graag bij jou thuis wil afspreken – je moet wel een enorme loser zijn om niet te weten wat dat betekent.

Ik weet ook wat het betekent. Wat híj denkt dat het betekent. Maar ik zou niet weten hoe ik het anders had moeten inkleden.

Van Vliet zou me uit zichzelf niet snel in zijn huis uitgenodigd hebben, maar nu ik de openingszet heb gedaan, gaan bij hem de hormonen werken. Dat brengt me in de uitzonderlijke situatie dat de man die misschien mijn vader is straks moeite gaat doen om me in zijn bed te krijgen, iets dat ik alleen maar kan voorkomen door mijn kaarten op tafel te leggen. Maar dat ben ik voorlopig nog niet van plan.

Hoofdstuk 16

Oma is sinds kort in het revalidatiecentrum. Haar bezoeken betekent laveren tussen al dan niet bemande rolstoelen, rollators en looprekken, om uiteindelijk uit te komen bij een vrouw die met een verbeten uitdrukking op haar scheef getrokken gezicht in haar rolstoel zit, alsof ze verwacht dat die elk moment onder stroom gezet kan worden.

De vergelijking met mama dringt zich op. Bij haar leek de rolstoel een elegant accessoire, een onderdeel van haar verschijning zoals haar zonnebril en haar modieuze handschoenen met de open knokkels. Oma straalt daarentegen uit dat ze op onrechtvaardige gronden gestraft is en verbitterd op zoek is naar de schuldige.

Haar continue toestand van boosheid richt zich vooral op opa. Ze gromt naar hem als hij onhandig een fruitmandje neerzet waaruit ze niets zelfstandig zal kunnen eten, en daar ook nog bij durft op te merken: 'Dat is goed voor je, Fie!'

Tegen mij praat ze een beetje, wat wil zeggen dat ze wat woorden uit haar mond sleept, waarvan de helft tussen haar lippen achterblijft. Op goed geluk gok ik op een 'ja' of 'nee' als antwoord, begeleid door een glimlach die ze bekijkt met het wantrouwen van iemand die voelt dat ze belazerd wordt.

Voorlopig is er nog geen sprake van naar huis gaan en al spreekt hij het niet uit, ik kan me voorstellen dat opa dat van harte toejuicht. Oma gedeeltelijk gehandicapt aan de keukentafel, wel in staat om opdrachten te geven maar niet om ze zelf uit te voeren. Er op voorhand al van overtuigd dat alles wat opa doet net zo goed niet gedaan kan worden. Dat vooruitzicht zou me in zijn plaats slapeloze nachten bezorgen. De gedachte aan mij als continu beschikbare gezinsverzorgster heeft hij opgegeven, maar hoe het wel geregeld moet worden – ooit – weten we geen van beiden. Dat hoeft nu ook nog niet, heeft de maatschappelijk werkster van het ziekenhuis ons verzekerd.

Pas als duidelijk is wat oma wel en niet meer zal kunnen, zal dat serieus bekeken worden. Vooral dat laatste stelt me erg gerust. Serieus... daar moet toch wel iets goeds uit voortkomen.

Op de advertentieafdeling doe ik mijn werk op de automatische piloot, maar daar is het net iets te ingewikkeld voor. Voor de tweede keer in één week belt een woedende adverteerder op over fouten in een advertentie. Mijn chef Ilse zegt sussende woorden in de telefoon en werpt me ondertussen giftige blikken toe.

Met wat handige make-up en een goede belichting had ze stand-in kunnen zijn voor Uma Thurman in *Kill Bill*, waarmee ik bedoel dat er een niet te miskennen dreiging van haar uitgaat. Met zo'n lijf had ik wel andere dingen bedacht dan slijmen met adverteerders die pissig worden omdat hun leeftijd in hun contactadvertentie per ongeluk als 72 in plaats van 52 wordt vermeld.

'Morgen wordt hij opnieuw geplaatst, en nogmaals onze excuses.'

Haar stilettohakken klikken voor me uit naar haar kamer, die minuscuul is, maar evengoed status verschaft omdat er vier muren omheen staan.

Ze is heel duidelijk: mijn werkhouding is zo nonchalant dat ze me eigenlijk niet op deze afdeling kan handhaven. Ze heeft er al met het uitzendbureau over gesproken, en besloten is dat ik nog één kans krijg en dat het bureau in mijn plaats iemand anders zal sturen als het opnieuw fout gaat. Want ontevreden adverteerders is iets waar de krant niet blij mee is, dat moge duidelijk zijn.

Ik zeg dat ik het begrijp.

Ze kijkt alsof ze verwacht dat ik beterschap beloof, maar dan kan ze lang wachten.

'Ik begrijp het,' zeg ik nog een keer, terwijl ik ondertussen denk aan opa, naar wie ik eigenlijk rechtstreeks vanuit mijn werk zou moeten gaan, en aan Rogier, die is opgehouden met vragen wanneer we nu weer eens iets samen gaan doen, en die mijn afwezigheid ziet als een vorm van desinteresse, die hij met desinteresse van zijn kant beantwoordt.

Steeds vaker is hij weg als ik thuiskom. Hapje eten met vrienden. Een dienst geruild met een collega. Research voor zijn televisieserie. Hij schrijft met slonzige letters datgene wat hem invalt op een vel printpapier en legt het op het aanrecht, tussen de opgestapelde vuile vaat. Hij verkeert kennelijk nog in het stadium dat hij het nodig vindt om zijn afwezigheid te verklaren, al is het met leugens.

Steeds vaker komt de gedachte bij me op dat hij een vriendin heeft, bij wie het ongetwijfeld gezelliger is dan bij mij. Veel is daar niet voor nodig, denk ik er wrang achteraan. In zijn leven vervul ik zo langzamerhand de taken die ik ook in dat van opa vervul: opruimen, schoonmaken en zorgen dat de koelkast gevuld blijft. Ik zie het als tegenprestatie voor het feit dat ik nagenoeg kosteloos in zijn flatje woon, alleen vraag ik me af hoe lang dat nog zal duren. Hoe lang we nog hebben voordat een van ons beiden de moed heeft een punt te zetten achter een relatie die zichzelf heeft overleefd.

Binnenkort zal hij geen boodschapjes meer voor me achterlaten en is het afwachten wanneer ik hem weer zal zien. Ik weet niet of ik bereid ben dat laatste stadium af te wachten.

'Luister je eigenlijk wel?' vraagt Ilse.

Ik knik heftig 'ja' en ze zucht en staat op. Het is duidelijk dat de herkansing niet haar idee is.

Als ik een laan zou mogen kiezen om in te wonen en een huis waarin ik telkens weer zou willen terugkeren, dan zou het deze laan met de ruisende oude bomen en dit rietgedekte witte huis zijn.

Ik parkeer de Mini en blijf even achter het stuur zitten met de raampjes omlaag. Er fietsen een paar jongens voorbij; een van hen zwenkt af en verdwijnt in een tuin verderop. Ze roepen nog iets naar elkaar, en het klinkt anders dan wanneer jongens in mijn buurt naar elkaar roepen.

Alles is anders in een buurt als deze. De vrouw die langs de Mini loopt met een aangelijnde golden retriever draagt de nonchalante vrijetijdskleding waarvan ik vermoed dat die een modaal maandloon heeft gekost. Maar mensen met een modaal inkomen zul je hier niet tegenkomen, behalve om schoon te maken of te repareren wat kapot is gegaan.

Ik stap uit en loop langzaam de tuin van Bas van Vliet in. Het lage dubbele houten hek staat open. Het gazon is pas gemaaid; de geur van gras hangt nog in de lucht. Om het huis staan hortensia's in bloei en struiken waarvan ik de naam niet weet. Grind knarst onder mijn voeten als ik de voordeur nader. Het portiek is elegant en ruim genoeg voor een aantal mensen om beschut tegen regen te wachten, totdat de deur wordt opengedaan.

Ik druk op de bel, die glanzend gepoetst is, en nog voordat het geluid is weggestorven staat Van Vliet al in de deuropening. Een donkerrode katoenen broek, een marineblauwe polo met open kraag en mocassins aan blote voeten. Ik registreer het, en ook dat hij best een aantrekkelijke man is.

'Kom binnen.' Een weids gebaar.

Ik loop achter hem aan door een vestibule met ingebouwde

garderobe en een hoge spiegel naar een hal waar een groot boeket dieprode rozen op een antieke lage tafel staat. Van de deuren die op de hal uitkomen staan er een paar half open, en een bundel zonlicht valt op een groot schilderij van een donkerblonde vrouw met een lief gezicht. Ze zit op een stoel, haar handen in haar schoot gevouwen, haar ogen gericht op iets dat zich naast of achter de schilder bevindt. Het lavendelblauw van haar jurk verdiept de kleur van haar ogen, haar lippen zijn vol en zien eruit of er weinig voor nodig is om haar te laten lachen.

'Mijn vrouw Emma,' zegt Van Vliet. Hij gaat me voor naar een kamer met openslaande deuren die op een terras uitkomen. 'We hebben hier vanaf ons trouwen gewoond. De meisjes zijn hier geboren en opgegroeid. Elk hoekje bevat een herinnering.'

'Ik ben nog nooit in zo'n huis geweest. Zijn alle kamers zo mooi?'

'Wil je het zien?'

We staan nog steeds midden in de kamer, en als ik 'graag' zeg, draait hij zich om en loopt voor me uit de hal weer in.

Het huis overweldigt me. Alles klopt: de afmetingen, de manier waarop iedere ruimte is ingericht, de hoogte van de plafonds, het uitzicht op de tuin. De grote keuken heeft een kookeiland zoals ik alleen nog maar in tijdschriften en advertenties heb gezien. Ik ben onder de indruk, maar het is niet waarvoor ik ben gekomen. Dat komt pas als we de brede trap op zijn gegaan en hij een deur openzwaait.

Een typische meisjeskamer met Laura Ashley-behang en gordijnen, lief zonder zoetig te zijn. In de hoek een paar hockeysticks en tennisrackets. Op een plank aan de muur een scheefgezakt pluche konijn met één rood glazen oog, een kangoeroe met een kleintje dat nieuwsgierig uit haar buidel kijkt en een paar luxe teddyberen.

Aan de muur veel foto's, sommige met punaises vastgeprikt, andere ingelijst. Bas van Vliet en de vrouw die ik als Emma herken met twee meisjes met halflang blond haar op een boot, aan een strand met palmen bij ondergaande zon, aan de rand van een zwembad waar hun voeten het water hoog laten opspatten. Op een andere foto zit een van de meisjes op een paard, een puber met een brede glimlach, zweepje nonchalant in haar hand, het paard heeft zijn hoofd naar boven gewend alsof hij haar aan wil kijken.

'Dat is Barbara,' zegt Van Vliet. 'De jongste, die hier in de buurt woont.'

De andere meisjeskamer verschilt niet veel van de eerste. Hetzelfde soort behang maar in een andere kleur. Knuffeldieren, tennisrackets en hockeysticks, en bij de op de muur geprikte foto's veel hockeyelftallen. De meisjes op de voorste rij zitten gehurkt, allemaal lachend, allemaal met dezelfde uitstraling van onbezorgde welvaart, van geen ander probleem kennen dan ruzie met een vriendje of zakgeld dat voortijdig op is, iets dat met een vleiend verzoekje aan paps altijd wel te regelen valt.

'Ooit hingen er popsterren, maar die hebben ze later weer weggehaald. Wat wil je nog meer zien?'

Maar ik hoef niets meer te zien. Ik ben de wereld in gestapt van Laura Ashley en schemerlampjes. Van paarden en vakanties aan palmstranden. Van de goede opleiding in de goede omgeving. Het leven dat ik had willen hebben. Zo graag dat ik bereid ben te geloven dat een vroeger schoolvriendje van mama mijn vader is. En nu ben ik in zijn huis en ik heb werkelijk geen idee hoe het verder moet.

'De zolder misschien?' vraagt hij hoopvol. Hij vindt het duidelijk leuk om zijn huis te laten zien, of misschien stelt hij het moment uit dat hij een gesprekje met me moet voeren, maar als ik ontkennend mijn hoofd schud zegt hij: 'Oké, dan gaan we terug naar de tuinkamer. Dit is weer om op het terras te zitten, vind je niet?'

In een hoekige houten stoel met ongemakkelijk zittende kussens wacht ik totdat hij terugkomt met een grote glazen karaf waarin vruchten drijven, een drank die hij Pimm's noemt en die hij in hoge glazen schenkt.

Ik verdom het om te laten merken dat ik er nooit van gehoord heb, en neem een slok. De aangename prikkeling van alcohol op mijn tong. De combinatie met de vruchten is verrassend maar heerlijk.

Hij zit naast me op net zo'n ongemakkelijke stoel die te dicht naast de mijne staat, en ik vraag me af of hij dat zo gearrangeerd heeft voordat ik kwam.

Nu zet hij zijn glas neer. 'Ik heb je de tuin nog niet laten zien. De waterlelies bloeien.'

Ik loop achter hem aan over gras dat zacht als een tapijt onder mijn voeten voelt, tussen een paar rododendrons door naar een vijver waarop roze en witte waterlelies rusten, het grote blad onbeweeglijk op het donkere water.

'Prachtig,' zeg ik.

'Ja,' zegt hij, 'dat vind ik ook.'

Maar hij kijkt niet naar de vijver. Hij heeft zich naar me omgekeerd, zijn handen op mijn schouders. Ik voel de zachte druk waarmee hij me naar zich toe trekt en realiseer me dat ik gezoend ga worden door een man van wie ik niet weet of hij mijn vader is. Dat ben ik niet van plan te laten gebeuren.

'Ik dacht dat het voorgoed voorbij was toen Emma stierf. Dat ik nooit meer iets voor een andere vrouw zou kunnen voelen. En ineens ben jij er!' Zijn mond nadert de mijne. Ik probeer een stap achteruit te doen, maar zijn dwingende handen maken het onmogelijk. Zijn mond heeft nu de mijne bereikt, zijn lippen zuigen zich vast en ik vermoed dat hij mijn pogingen om ze te ontwijken aanziet voor hartstocht.

Geritsel in de struiken. Een kinderstem die 'Opa, opa!' roept. Hij laat me los op het moment dat er een klein blond meisje tussen de rododendrons opduikt. 'Opa, ik kom bij je tekenen!'

Verder weg roept een vrouwenstem: 'Pap, waar hang je uit?'

Tegenover me staat Bas van Vliet, totaal verslagen. Zijn armen hangen slap langs zijn lijf, zijn bril is beslagen en bij zijn mond zit een veeg rode lipstick.

Zijn dochter kijkt geamuseerd als ze me een hand geeft. Van Vliet heeft me voorgesteld als 'een vriendin'. Gelukkig heeft hij voordat zijn dochter tussen de rododendrons opdook zijn mond afgeveegd. Maar iemand die hem goed kent moet in één oogopslag zijn verwarring hebben opgemerkt.

'Sorry pap, als ik je stoor, maar kun je Sanne een uurtje hebben?' En zonder zijn antwoord af te wachten: 'Sanne, haal je tekenspullen maar uit je laatje. En geen rommel maken. Ga maar vast aan de tuintafel zitten. Pap, je bent een engel. Tot zo!'

Een vluchtige kus op zijn wang, een bewegen van haar vingers in mijn richting en weg is ze, gevolgd door haar dochtertje, dat als een vlinder over het grasveld zweeft in een zachtgeel jurkje met pofmouwtjes.

'Ik ga maar weer eens,' zeg ik.

Van Vliet knikt zonder zich te bewegen.

Ik loop de grote tuin door. Bijen zoemen rondom een rij intens blauwe lavendelstruiken. De geur is overweldigend. Bij het hek kijk ik om. Van Vliet is nog steeds niet tussen de rododendrons verschenen.

Hoofdstuk 17

Eerst belt opa. 'Er zijn bloemen voor je bezorgd. Zal ik ze maar meenemen naar oma? Dat fleurt haar kamer een beetje op.'

'Van wie zijn ze?'

'Even kijken.' Hij legt de telefoon neer en ik hoor gerommel met papier. 'Van ene Bas van Vliet.'

'Geef maar aan oma.'

Nog geen kwartier later heb ik Van Vliet aan de lijn. 'Ik moet je spreken. Vandaag!'

Het komt niet goed uit. Ik heb slecht geslapen. De hele geschiedenis met mama's vroegere vriendjes begint me tegen te staan. Wat heb ik helemaal bereikt met mijn zoektocht waarin ik zoveel tijd en energie heb gestoken? Met mijn leugens, waardoor ik nu weet dat mijn eventuele halfzusjes Laura Ashley-behang hadden en op hockey zaten? Wat schiet ik ermee op? Wat ik gemist heb valt niet meer in te halen. En nu zit ik ook nog met een klasgenoot van mama die denkt dat ik zijn eenzaamheid kan oplossen en aan wie ik de harde waarheid zal moeten vertellen, namelijk dat ik hem vanaf dag één heb belazerd.

'Halfzes bij café Wagendorp tegenover de krant,' stel ik voor.

Maar dat wil hij niet. Hij heeft frisse lucht nodig. Alles benauwt hem. 'We kunnen door het park lopen. Ik neem wel paraplu's mee.'

Ik kijk op mijn horloge – en dan naar buiten, waar de regen met bakken uit de hemel valt. Nog vijf uur voor de grote confrontatie. Was het maar vast voorbij.

Zijn gezicht staat strak en hij beweegt nauwelijks als ik aan kom lopen en een wuivende beweging naar hem maak.

Ik heb mijn eigen paraplu, waardoor hij zich in de ongemakkelijke positie bevindt dat hij de ene paraplu omhoog moet houden en de andere opgerold in zijn vrije hand.

Het pad sopt onder onze voeten als we aan de wandeling door het verlaten park beginnen. Er zijn zelfs geen hondenuitlaters te zien. De regen rijgt druppels aan de onderkant van takken en slaat putjes in de vijver. Het geluid van een tekenfilm. *Plink! Plonk!*

'Dank je voor de bloemen,' zeg ik om de stilte te verbreken.

Hij mompelt wat. 'Ik heb me laten gaan gisteren,' zegt hij een tijdje later. 'Ik heb je overvallen. Mijn excuses.'

Het begint harder te regenen. De druppels roffelen op mijn paraplu, glijden erlangs en vallen vanaf de uiteinden van de baleinen langs me heen op de grond. Mijn nieuwe suède schoenen zijn nu al doorweekt.

'Waarom zeg je niets?' Hij kijkt me van opzij aan.

'Omdat ik je iets moet vertellen. Ik ben niet eerlijk tegen je geweest. Ik heet niet Van de Wetering. Ik ben Lot Heerema, de dochter van Annet Heerema.' Ik loop door, mijn hoofd gebogen, en merk pas na een paar passen dat hij niet meer naast me is.

Als ik me omdraai zie ik hem tien meter terug staan. De paraplu heeft hij laten zakken, regen stroomt vanaf zijn haren over zijn gezicht. Hij ziet eruit als een verzopen kat.

Ik loop naar hem terug. 'Heb je verstaan wat ik zei?'

'Heerema,' zegt hij, met de stem van een zombie. 'De dochter van Annet.'

Hij wil het horen, het hele verhaal, en uit solidariteit en omdat ik toch al behoorlijk nat ben laat ik mijn paraplu ook zakken.

Eigenlijk wil ik alleen nog maar naar huis. Ik ben doorweekt en koud, maar ik antwoord zo goed mogelijk op elke vraag die hij stelt, alhoewel ik nog steeds denk dat hij het begin van het verhaal beter moet kennen dan wie ook. Toen mijn moeder de mooiste meid van de school was en werd bijgespijkerd door de slimste jongen van de school.

Over het ongeluk en haar zwangerschap, die tijdens de revalidatie werd ontdekt, maar waarvan zijzelf misschien allang wist. Zo onnozel kon ze toch niet zijn dat ze niet op de hoogte was van wat het betekent als je ineens niet meer menstrueert?

Hij schudt zijn hoofd, alsof hij zichzelf wil dwingen om helderder te denken. 'Zwanger? Was Annet zwanger? Maar wat heeft dat met mij te maken?'

Hij kijkt me aan en ik kijk terug en dan dringt het tot hem door. 'Je denkt dat...'

'Dat je mijn vader bent! Vind je het gek dat ik dat denk? Het vriendje van mijn moeder. Maar je zult het wel ontkennen. Waarom zou je het ook toegeven? Met dat fantastische leven van je, met die twee verwende dochters.'

De paraplu's glijden uit zijn handen en schuiven in de modder waar we nu tot onze enkels in staan.

'Onze ontmoeting in de bistro, jouw valse naam, die zogenaamde interesse in mijn huis... al die moeite om wat je me gewoon had kunnen vragen.' Hij brengt zijn woedende gezicht dichter bij het mijne. 'Waarom heb je het niet gevraagd?'

'Daar ging het niet alleen om. Ik wilde weten hoe het geweest had kunnen zijn – hoe mijn leven geweest had kunnen zijn.' Een dag eerder voelde ik de kracht van zijn handen op mijn schouders; nu klemt hij me zo stevig vast dat het pijn doet als hij me heen en weer schudt. 'Jouw moeder,' zegt hij woedend, 'jouw moeder en ik... We hebben elkaar zelfs nooit gezoend!'

Hoe kun je zeker weten of iemand liegt of de waarheid spreekt? De realiteit is dat het me op dit moment nauwelijks meer iets uitmaakt. Ik voel regenwater over mijn rug glijden, alsof ik onder de douche sta, en het enige waarnaar ik verlang is droog en warm zijn. Hij heeft me losgelaten en een stap achteruit gedaan. Zijn woede lijkt verdwenen, maar goed kan ik het niet zien door de mascara die in mijn ogen is geregend en zo prikt dat ik ze nauwelijks open kan houden.

'Ik denk niet dat we elkaar nog zullen zien.' Zijn stem klinkt vormelijk.

Ik steek mijn hand uit.

Hij kijkt er even naar en draait zich om. De paraplu's laat hij liggen.

Ik sta bij de voordeur en bijna onmiddellijk vormt het water dat van me af druipt een plas om mijn schoenen. Ik krijg ze nauwelijks uit. Op weg naar de badkamer laat ik een spoor van natte voetafdrukken achter.

Rogier is er niet. Hij is al naar zijn werk vertrokken of helemaal niet thuis geweest. Het maakt me op dit moment niet uit.

Het valt niet mee mijn natte kleren uit te trekken. Ze zitten zo vastgekleefd aan mijn huid dat het voelt alsof ik mezelf vil. Het duurt lang voordat mijn lichaam de warmte van de douche heeft overgenomen, en nog blijft ergens binnenin een gevoel van kou achter dat zich niet verjagen laat.

In mijn badjas, een beker gloeiende melk binnen handbereik, zoek ik tussen op elkaar gepropte kleren in de slaapkamerkast naar de oude rubber kruik waarvan ik zeker weet dat ik die heb meegenomen toen ik bij Rogier introk. Als ik hem eindelijk vind ligt de halve inhoud van de kast op de grond en blijkt de kruik geen dop te hebben.

Tot mijn verbazing begin ik te huilen, waarna ik er niet meer mee op kan houden. Snikkend kruip ik met mijn badjas nog aan in bed, rol me op en probeer de vage geur van parfum te negeren die irritant is, vooral omdat ik hem niet herken. Ik keer het kussen om en probeer te slapen, maar telkens opnieuw schrik ik wakker met een gevoel van paniek dat ik niet begrijp.

Midden in de nacht voel ik me zo ellendig dat ik op zoek ga naar aspirines in het badkamerkastje, waar ik tot mijn verbazing op een pakje condooms stuit in een oude zeepdoos. Geen aspirines. Ik kruip terug in bed, en als ik wakker word is de ochtend al half voorbij.

Ilse is *not amused*. Als ik beter ben moeten we maar weer een gesprekje hebben, zegt ze. Ze wenst me geen beterschap en vraagt ook niet hoe lang ik denk thuis te blijven.

Wat mezelf betreft zo kort mogelijk. Rogiers flat is geen omgeving om prettig ziek te zijn.

Het daglicht laat genadeloos zien dat onze slaapkamer ternauwernood het niveau kraakpand overschrijdt. Alles is aangeschaft en wordt onderhouden in het licht van 'tijdelijkheid'. Het resultaat is een ontmoedigende en niet al te schone rotzooi.

Ik denk aan het huis van Van Vliet. Het moet heerlijk zijn om alles om je heen in orde te hebben. Zelfs de grote drama's in zijn leven kunnen de regelmaat van stofzuigen en ramen lappen niet verstoren. Zijn vrouw wordt ongeneeslijk ziek, maar de tuinman blijft op zijn vaste dag komen. Hij zoekt een graf voor zijn vrouw uit en ondertussen worden thuis de meubels gewreven. Hij huurt er mensen voor in, maar in wezen is het een kwestie van zelfdiscipline.

Onze keuken zou ook opgeruimd kunnen zijn, en zeker een stuk schoner dan nu, denk ik als ik op het aangekoekte gasstel melk warm omdat pap zich in mijn hoofd heeft aangediend als enig aanvaardbaar voedingsmiddel. Ik eet een kom met warme zoete prut leeg, kruip terug in bed en val weer in slaap.

Deze keer word ik wakker doordat Rogier naast het bed staat en mijn schouder aanraakt. Ik duw mezelf half overeind en zie dat er een uitpuilende weekendtas naast hem staat.

'Ik wist niet dat je thuis zou zijn.' Het klinkt alsof dat een behoorlijke tegenvaller is.

'Maakt het veel uit?'

Hij gaat op de rand van het bed zitten. 'Ik heb wat spullen bij elkaar gezocht. Voorlopig trek ik bij iemand in, je kunt hier blijven tot je iets anders gevonden hebt.'

'Heeft die "iemand" toevallig een naam?'

Hij haalt zijn schouders op. 'Chantal. Je kent haar niet.'

'En dat had je me op een briefje willen meedelen?'

Hij knikt en haalt een dubbelgevouwen A4'tje tevoorschijn.

Ik kijk naar de grote viltstiftletters, de onhandig geformuleerde verklaring, het woord 'sorry' met drie uitroeptekens waarmee hij eindigt, en laat me weer terugzakken in bed.

'Kan ik nog iets voor je doen?'

'Nee, dank je. Aardig dat ik hier nog een poosje kan blijven.'

Hij aarzelt even, maar ik zie er op dit moment vast niet uit als iemand die je graag een zoen wilt geven, ook al zou het de laatste keer zijn.

'Nou, het beste dan maar.' Zonder nog om te kijken loopt hij naar de deur, die hij zacht achter zich sluit.

'Doei,' mompel ik, terwijl ik het dekbed tot over mijn oren optrek.

Na drie dagen in bed begin ik aardig op te knappen. Het kan wel zijn dat goede zorgen voor een snel herstel zorgen, maar helemaal geen verzorging houdt er ook de vaart in: je moet je bed wel uit wil je niet van de honger omkomen.

De eerste dag dat ik op ben voel ik me al uitgeteld als ik alleen nog maar gedoucht heb. Maar de dag erna kleed ik me aan en breng ik het zelfs op om – al heb ik nog steeds verhoging – naar de buurtsuper te gaan voor brood, melk en een maaltijdsalade.

De maatschappelijk werkster van oma's revalidatiecentrum heeft inmiddels thuiszorg voor opa geregeld. Het veroorzaakt gemengde gevoelens: alweer iemand die me niet meer nodig heeft. Mocht er behoefte aan bestaan, dan ben ik de aangewezen persoon om een cursus 'hoe maak ik mezelf overbodig' te geven.

Er is een gevoel van leegte op me neergedaald dat lijkt op verdriet, alsof ik iets verloren heb dat nooit van mij is geweest. De scène met Bas van Vliet in het park komt weer in volle hevigheid bij me terug. Wat een dwaasheid om te denken dat het ook maar iets aan mijn leven zou veranderen als hij mijn vader zou zijn. En wat een pathetische actie om zijn leven binnen te dringen alleen om een blik te kunnen werpen op een jeugd die hoe dan ook niet in te halen is, of hij nu wel of niet de man is die me heeft verwekt. Zijn ontkenning was in zijn aan wanhoop grenzende woede te authentiek om aan te twijfelen, maar ironisch is het wel.

Het mooiste meisje van de school, van wie alle jongens zeiden dat ze het met haar gedaan hadden, blijkt door geen van haar klasgenoten die ik tot nu toe heb ontmoet zelfs maar gezoend te zijn. Toch heeft iemand haar zwanger gemaakt – al zal ik nooit weten wie, nu ik mijn lijstje met mogelijke vaders zonder resultaat heb afgewerkt.

Dat inzicht veroorzaakt een korte felle woede jegens mama, die de antwoorden op mijn vragen had en het verdomd heeft ze aan me door te geven. Ze moet daar haar redenen voor hebben gehad, en het zou een wereld van verschil hebben gemaakt als ze me zou hebben uitgelegd waarom het beter voor haar was om te zwijgen. Maar zelfs dat heeft ze me niet gegund.

Door haar blijf ik behoren tot de grote groep mensen bij wie 'vader onbekend' genoteerd staat in de geboorteakte, iets wat me nog steeds hindert en waar ik nu voor de rest van mijn leven aan vast zit.

Een sms'je van Alexander Terborg: 'EN?'

'HIJ IS HET NIET. EINDE VERHAAL.'

'DUS TIJD VOOR EEN NIEUW VERHAAL. WANNEER KOM JE NAAR DE AUVERGNE?'

Het schiet niet erg op met oma. Haar therapeut zegt dat ze gehoorzaam meewerkt en doet wat er van haar verlangd wordt, maar zonder enig animo, alsof het haar volkomen onverschillig laat of en wanneer ze weer naar huis kan. Ik zie het als bewijs dat ze in elk geval haar slimheid niet kwijt is en dondersgoed beseft hoe haar toekomst er aan de zijde van opa uit zal zien: hij gebogen over zijn krant en zijn puzzeltjes aan de keukentafel, en zij tegenover hem, zich ergerend aan alles wat ze om zich heen aan onvolkomenheden ziet maar door haar handicaps niet kan veranderen. Daarbij vergeleken is haar leven in het revalidatiecentrum zo gek nog niet. Dat ze zich ervan bewust is dat opa ook niet bepaald verlangt naar haar thuiskomst, zal ook wel meespelen.

Ik zie hem opbloeien nu hij van oma's regime bevrijd is en hij begint te wennen aan zijn leven als man alleen. Het eten in het ziekenhuisrestaurant is bij nader inzien lang niet slecht, en steeds vaker belt hij op dat het niet nodig is dat ik kom koken. Voor de huishoudelijke werkjes die ik op me had genomen, heeft hij me ook niet meer nodig sinds hij thuiszorg heeft. De man van wie ik dacht dat hij het geen week zonder oma zou uithouden, begint zich steeds meer op zijn gemak te voelen in de nieuwe situatie. En wat op me overkwam als een zekere verknochtheid tussen twee mensen die het grootste deel van hun leven samen zijn geweest, lijkt in werkelijkheid niets anders geweest te zijn dan een zich schikken in hun lot, met tegen het einde van de rit deze onverwachte bevrijding die wat opa betreft meer dan welkom lijkt te zijn.

Hoofdstuk 18

Het sms'je aan Terborg verstuur ik in een impuls. De confrontatie met Bas van Vliet heeft er behoorlijk ingehakt, mijn relatie met
Rogier is uit en mijn dagen op de advertentieafdeling zijn geteld.
Het uitzendbureau heeft een vervangster gestuurd toen ik ziek
was; ze bevalt kennelijk goed, want Ilse heeft bijna verheugd inge-
stemd met mijn verzoek om een weekje vakantie.

Nu ik geen baan, geen missie, geen vrijer en geen zorgplicht ten
opzichte van opa meer heb, heeft een zekere zorgeloosheid bezit
van me genomen. Waarom zou ik eigenlijk niet ingaan op een uitnodiging voor een weekje Frankrijk?

Als Alexander al verrast is over de mededeling dat ik graag wil
komen, laat hij dat niet merken. Hij stuurt per omgaande een
mailtje met 'Welkom!' en een routebeschrijving, compleet met de
lengte- en breedtegraad van het huis, zodat ik die op mijn Tom-
Tom kan invoeren.

'Wel bijtijds remmen! De coördinaten kruisen elkaar boven de
schoorsteen!' voegt hij eraan toe.

Ik ben zelden met vakantie geweest – alleen af en toe een dag-
tochtje en een paar keer een lang weekend in de periode met
Hedwig. Nu zal ik in mijn eentje de bijna duizend kilometer af-
leggen die me van het huis van Alexander Terborg scheiden. Het
klinkt als een ongelofelijk eind, al mailt Alexander dat het niets
voorstelt en dat ik het best op zondag kan vertrekken omdat er
dan weinig verkeer is. Maar daar peins ik niet over. Nu ik eenmaal

mijn besluit heb genomen, wil ik zo snel mogelijk weg.

De enige van wie ik, op opa na, afscheid neem, is Sylvie.

'Ik sms je het adres van de camping waar Alice werkte!' zegt ze als ik thee bij haar drink. 'Ik kan het nu niet zo snel vinden, denk ik. Maar als het niet te ver weg is, zou ik het fijn vinden als je er langs zou gaan.'

'Het kan wel aan de andere kant van Frankrijk liggen, Sylvie. En wat verwacht je ervan?'

'Het gaat om het idee,' zegt ze. 'Ik ben er één keer geweest en dat was zo afschuwelijk. Ik heb alleen maar met de politie en de mensen van de camping gepraat; verder drong er niets tot me door. Ik zou zo graag een paar foto's willen hebben van de plek waar Alice is geweest voordat ze verdween.'

Ik beloof dat ik mijn best zal doen, en daarna is het enige wat me nog te doen staat wat kleren en boeken in mijn weekendtas stoppen. Veel hoef ik niet mee te nemen. In deze maand is het overal lekker weer, en bovendien verwacht ik er niet veel sociaal leven. Het grootste deel van de week zal ik doorbrengen bij het zwembad achter het huis, of lezend in de schaduw van de hoge notenboom waarvan Alexander me foto's heeft laten zien.

En zo pak ik jeans, T-shirts, een paar linnen rokken en een bikini in mijn weekendtas, nadat ik de Mini heb laten nakijken door de garage en ervan verzekerd ben dat ik dankzij de vervangen remblokjes een veilige reis tegemoet ga.

Het voelt vreemd om de straat uit te rijden met de gedachte dat ik hier pas over een week weer terug zal komen. Op de passagiersstoel heb ik een thermoskan koffie en een paar flesjes Spa gelegd. Broodjes koop ik onderweg wel. Er zijn nauwelijks nog tankstations zonder catering en ik zal toch regelmatig uit de auto moeten voor een beetje beweging en frisse lucht.

Een paar uur later passeer ik de grens – een onopvallende gebeurtenis – en in België houd ik mijn eerste stop. Ik tank, loop wat heen en weer, drink koffie uit een plastic beker, waarvan ik een hele voorraad bij me heb, en rijd weer door.

Een paar uur later ben ik in Frankrijk.

Ik doe langer over de rondweg om Parijs dan ik had verwacht.

Vlak voorbij het vliegveld Charles de Gaulle heb ik een verkeerde afslag genomen en nu zit ik op de Périférique, in een file waarin Franse auto's zonder en buitenlandse auto's volgepropt met bagage elkaar afwisselen.

Ik ben behoorlijk moe. In de auto is het warm en benauwd, maar als ik het raampje een eindje naar beneden draai zit ik in een walm van uitlaatgassen. Met mijn rechterhand pak ik een flesje Spa, klem het tussen mijn knieën en draai de dop los. Net als ik drink moet ik een onverwachte manoeuvre maken om niet tegen een Citroën te knallen die zich ineens tussen de Mini en de Peugeot voor me wurmt. Ik voel het water langs mijn kin mijn hals in glijden. Achter me claxonneert iemand die niet blij was met mijn plotselinge remmen, en als ik zonder mijn ogen van de weg af te wenden tastend met mijn hand de dop van het flesje zoek, blijkt die onvindbaar. Met het flesje tussen mijn knieën is het verdomd hinderlijk rijden. Ik heb last van de warmte en van de auto's om me heen, maar het duurt zeker nog een halfuur voordat ik met een bevrijd gevoel de A6 op rijd.

Ik stop bij het eerste hotel dat ik tegenkom. De middag is een eind gevorderd. De parkeerplaats begint vol te raken, maar er zijn nog kamers vrij.

Ik laat mijn weekendtas vallen, schop mijn schoenen uit en ga op het bed liggen. Het verkeer dreunt nog na in mijn oren.

Eten, denk ik, en daarna slapen. Maar ik zak vrijwel meteen weg en als ik wakker word is het donker in de kamer.

Het restaurant is halfvol, voornamelijk met gezinnen waarvan de kinderen vermoeid jengelen en de ouders geïrriteerd reageren. Ik bestel een halve kip met sla en friet en een glas wijn, en bedenk dan dat ik Terborg had moeten bellen dat ik er vanavond nog niet zal zijn.

Op mijn mobiel zie ik drie gemiste oproepen van hem en als ik bel neemt hij zo snel op dat ik vermoed dat hij op een bericht van me heeft zitten wachten.

Ik hoor aan zijn stem dat hij geïrriteerd is, en als ik probeer uit te leggen waarom ik in een hotel zit in plaats van in zijn huis, onderbreekt hij me ongeduldig. 'Ja ja, oké, dan zie ik je morgen wel.'

Voordat ik nog iets kan zeggen heeft hij de verbinding al verbroken.

Ik heb de snelweg verlaten en rijd over bochtige wegen door dorpjes met altijd een kerkje, een pleintje en het gedenkteken voor de jonge soldaten die niet terugkeerden uit *La Grande Guerre*.

Het uitzicht is spectaculair: heuvels en ravijnen tegen een achtergrond van hoge bergen, afgewisseld met lieflijk glooiend landschap. Een rivier zoekt kronkelend een weg door een dal opzij van de weg. De bermen staan vol gele en paarse bloemen en metershoge varens.

Van mijn zoektocht op internet weet ik dat elke heuvel en iedere berg in dit gebied ooit een vulkaan is geweest. Sommige hadden meer dan driehonderdduizend jaar geleden hun laatste grote moment – een orgie van hitte, rook en as. Van vuur en verderf. Asdeeltjes verduisterden het licht van de zon. Wat leefde en niet bijtijds kon vluchten was dood. Het klinkt als een film van Spielberg en in het licht van de zomerzon niet als iets dat ooit werkelijkheid is geweest. Nu zijn de toppen afgestompt, de hogere kaal en ongenaakbaar, de lagere begroeid met gras en bomen.

Aan het einde van de ochtend rijd ik over een smal kronkelig pad het terrein van Alexander Terborg op. Hij komt de lage blauw geschilderde deur van de boerderij uit als ik de Mini naast zijn Saab cabrio onder een breed uitwaaierende beuk parkeer en spreidt zijn armen, een brede lach op zijn gezicht. Ik stap uit, een beetje dizzy van het gehobbel van de laatste kilometers en voel de hitte als een deken over me heen vallen.

'Welkom! Welkom!' Hij drukt me tegen zijn witte T-shirt en duwt me daarna een armlengte van zich af om me onderzoekend te bekijken. 'Moe en heel erg warm! Wat wil je: meteen een duik nemen of koele witte wijn in de schaduw? Of nee, ik zal je eerst je kamer wijzen.'

Hij loopt voor me uit de boerderij in.

We staan meteen in wat hij 'de haardkamer' noemt: een grote ruimte met een indrukwekkend balkenplafond, een vloer van zandkleurige tegels van ongelijk formaat en ruw gepleisterde witte muren. De meubels zijn groot en zwaar, en zijn kennelijk met de hand uit degelijke houtsoorten vervaardigd. Een grote open haard domineert de achterwand. Ernaast is een doorgang die naar een hal voert waarop meerdere deuren uitkomen.

'Jouw kamer,' zegt hij terwijl hij de linkerdeur opent. De luiken zijn gesloten. Door de kieren trekt de zon strepen licht op de gehaakte witte sprei op het bed. 'Achter die deur is je badkamer. Ik kom zo je bagage brengen.'

Ik ga op de rand van het bed zitten en kijk om me heen. De stilte is overweldigend na het lawaai dat de afgelopen dagen mijn oren heeft gevuld. En de kamer is prachtig in zijn eenvoud. Alles om me heen is authentiek, van de tegels tot het oude hout van het balkenplafond. De dikke muren en de gesloten ramen en luiken houden de warmte buiten.

Terborg klopt en zet mijn weekendtas in een hoek van de kamer. 'Ik ben op het achterterras,' zegt hij.

De duik neem ik aan het einde van de middag, als de zon laag staat en de kleuren verdiept. Terborg – zelfs in mijn gedachten heb ik er moeite mee hem Alexander te noemen – zit met *Le Monde* op het terras als ik in mijn bikini met een pareo onder mijn oksels geknoopt op weg ben naar het zwembad.

Het water is verrukkelijk, ik kan er niet genoeg van krijgen. Als ik me na een halfuur ophijs aan de rand van het bad en mijn armen op de warme tegels leg, hurkt Alexander naast me neer.

'Je bleef zo lang onder water.'

'Een kwestie van diep inademen voor je ondergaat. Waarom kom jij er niet in?' Ik moet tegen de zon in kijken om zijn gezicht te zien.

'Ik ben niet zo'n zwemmer. Maar mijn gasten vinden het heerlijk, een eigen zwembad schijnt de ultieme droom te zijn; daarmee heb je het gemaakt.'

'Maar zelf ga je er nooit in?'

Hij geeft geen antwoord. Ik voel zijn hand op mijn haren. 'Zorg ervoor dat je hier met een zonnehoed loopt. De zon is feller dan je denkt. Ik heb er hier wel een paar liggen, als je niets bij je hebt. Je hebt geen idee wat logees allemaal achterlaten. Paraplu's, badpakken, regenjassen. En zonnehoeden. Mijn moeder heeft ze altijd met veel plezier gedragen.'

'Dank je.' Ik laat me zakken en zet me met mijn voeten af.

'We eten over een uur!'

Ik steek mijn hand op ten teken dat ik hem heb gehoord. Als ik in mijn kamer kom om me te verkleden, ligt er een grote raffiakleurige zonnehoed met een gebloemd lint op mijn bed.

De derde dag lees ik een mailtje van Sylvie via mijn mobiel. Ze heeft het adres van de camping achterhaald. 'Het zou me zo'n goed gevoel geven als je er een keer naartoe zou willen gaan. Als het niet te ver van jou vandaan is natuurlijk. Ik wil er nooit meer naartoe, maar jij kunt voor me kijken en foto's maken.'

'Ik zal mijn best doen,' mail ik terug.

'Dank je! Door jou ben ik ineens weer terug in de tijd. Gisteren ben ik begonnen alle brieven en kaarten te herlezen die Alice me ooit heeft gestuurd. Ik heb er jaren niet in gekeken, bang voor alles wat het los zou maken. Maar nu ik ermee bezig ben merk ik dat ik het eigenlijk erg prettig vind. Ik doseer het, zodat ik er niet al te snel doorheen ben. Hoop je gauw weer te zien als je terug bent. Heb een fijne tijd!'

Met mijn mobiel in mijn hand zoek ik Alexander. Ik vind hem in de keuken. Een dode kip zonder veren en zonder kop maar met de poten er nog aan ligt op een grote houten snijplank op het aanrecht.

'Die heeft de buurman net gebracht; hij is een halfuur geleden geslacht. Dat doet hij nog door hun kop af te hakken, heb je dat weleens gezien? Zo'n dier rent nog even rond terwijl het bloed uit zijn hals spuit. Geweldig vond ik dat toen ik dat als tiener voor het eerst zag. Op slachtdag was ik niet weg te slaan bij de buren. Daar kan geen televisie tegenop.'

Ik zwijg.

'Of is dit te realistisch voor jouw teremeisjesziel?'

Hij pakt een mes uit de houder voor hem, steekt de punt in de onderkant van de kip en trekt de snede door tot boven. Ik hoor het gekraak van botjes terwijl ik gefascineerd toekijk, vaag misselijk door de vreemde geur die mijn neusgaten vult. Terborg steekt een hand in het kippenlijf en trekt er het ene kledderig rode ding na het andere uit, terwijl hij tussen de handelingen door de kip onder het stromende water uit de kraan houdt.

'Wel dieren eten, maar niet willen weten hoe ze sterven en schoongemaakt worden. Tegen de jacht zijn, maar met kerstmis wel hazenrug op tafel. Maar je kwam me vast niet opzoeken om een lesje inzicht in de menselijke ziel te krijgen, toch?'

'Nee,' zeg ik, en ik selecteer op mijn mobiel de mail van Sylvie.

'Ken je deze camping?' Ik lees de naam en kijk dan vragend naar hem op.

Hij staart naar me, het bebloede mes in zijn hand. Dan draait hij zich om en houdt het onder de kraan.

'Natuurlijk ken ik die camping, die is hier niet ver vandaan. Een halfuurtje rijden,' zegt hij zonder zich om te draaien. 'Wat moet je met een camping? Bevalt het je hier niet?' Het is bedoeld als een grapje, maar zo klinkt het niet.

Later, aan tafel – het kost me moeite om mijn tegenzin tegen de gebraden kip te verbergen – vraagt hij opnieuw wat ik met het adres van de camping moet, en ik vertel hem over Alice die verdween toen ze daar werkte.

Hij is een en al aandacht. 'Ik wist dat ze ergens in Frankrijk vermist werd, maar meer heb ik er nooit over gehoord. Je weet hoe dat gaat na een eindexamen: je komt nog maar zelden iemand van school tegen en dan wissel je uit wat je van je oude klasgenoten weet. Maar over Alice heb ik nooit meer iemand horen praten. Het was een afgerond verhaal. Ze was vermist en is nooit teruggevonden. Dat ze hier in de buurt werkte... Wat een bizar toeval! Misschien vindt haar moeder het leuk als je wat foto's maakt. Heb je een camera bij je of wil je de mijne lenen?'

Hoofdstuk 19

Het weer begint te veranderen. De hitte lijkt met het uur drukkender te worden. Grijze regenwolken verschijnen aan de horizon en verdringen steeds meer het blauw van de tot nu toe wolkeloze hemel. De zonnehoed die ik heb meegenomen kan ik op de achterbank laten liggen als ik straks op de camping ben.

Ik rijd over smalle wegen terwijl de lucht boven me steeds dreigender wordt. Maar het is nog steeds droog als ik de camping op rijd waar Alice van der Merwe voor het laatst werd gezien. Ik weet niet wat ik moet verwachten en al helemaal niet wat ik hier moet doen.

De camping is klein en gemoedelijk. In de nabijheid van een laag, langgerekt gebouw staan caravans en campers – de meeste met een Nederlands nummerbord – elk met een redelijk stukje grond eromheen. Verder weg zie ik tussen de bomen tenten staan. Ik loop naar het gebouw en sta aarzelend bij de receptie. Het meisje erachter glimlacht naar me.

Ze heeft de leeftijd die Alice had toen ze hier werkte, maar het gebouw ziet er niet uit alsof het er al bijna dertig jaar staat.

'U zoekt een plek?'

'Nee,' zeg ik. 'Ik weet eigenlijk niet waarvoor ik kom.'

Ze kijkt me nieuwsgierig aan. 'Nou, misschien komen we er samen uit.'

Ik probeer in zo weinig mogelijk woorden over de verdwijning van Alice te vertellen. Halverwege onderbreekt ze me.

'Ik ken dat verhaal. Op de een of andere manier is het me bijgebleven. Ik heb zo vaak geprobeerd te bedenken wat er gebeurd kan zijn, maar ik kom niet verder dan wat toen bekend is geworden: dat ze waarschijnlijk een afspraakje had en niet meer is teruggekomen. Maar ze kan ook een wandeling zijn gaan maken en ergens in een ravijn zijn gestort. Als je niet weet waar je moet zoeken vind je hier iemand nooit meer terug.'

'Ik zou graag een beetje rondkijken en wat foto's nemen,' zeg ik.

'Haar moeder zou daar erg blij mee zijn.'

'Natuurlijk! Ach, haar moeder... Natuurlijk mag je hier rondkijken.'

Nu ik wat rondloop zie ik dat er een smal watertje over het terrein stroomt, dat een natuurlijke scheidslijn vormt tussen de gemotoriseerde kampeerders en de tentbewoners. Een bruggetje overspant het. Kinderen klimmen op de leuning en springen met veel gespat en gejoel in het water dat ondiep is en waarin de donkere wolken boven mijn hoofd weerspiegeld worden.

Ik maak foto's, die er door het sombere weer nogal dreigend uitzien, en loop naar de ingang, waar Alice haar laatste voetstappen zette voordat ze spoorloos verdween. Op nog geen tien meter afstand zie ik aan beide kanten van de weg een bushalte. De chauffeur die haar vaak in zijn bus had gehad, verklaarde dat hij haar die dag niet had gezien, weet ik van Sylvie.

Iemand heeft haar hier dus opgehaald. Ze stapte in een auto en vanaf dat moment is alles in raadselen gehuld. 'Ik wil er nooit meer naartoe,' heeft Sylvie gezegd. Ik probeer me voor te stellen hoe ze hier zou staan, bij deze ingang, met dezelfde gedachten die ik nu heb maar die bij haar beladen zijn met een loodzwaar verdriet; en ik begrijp waarom ze dat gezegd heeft.

Na een uur zijn er weinig plekken meer die ik niet heb vastgelegd. Ik stap in de Mini en sla de weg in van waaruit ik gekomen ben, nog vol gedachten aan Alice.

'Zolang ik haar niet kan begraven is ze voor mij niet dood,' heeft Sylvie gezegd. Dat is een uitspraak die ik moeilijk kan vergeten.

Boven de bergtoppen flitst weerlicht. Het stralende zonovergoten landschap dat ik tot nu toe heb gezien is ineens veranderd in een sombere verzameling rotsen en ravijnen, onderbroken door weilanden die in dit licht gifgroen lijken.

Ik volg gedachteloos de weg. Pas als ik merk dat hij steeds steiler omhooggaat, besef ik dat ik verkeerd ben gereden. Tussen een rotswand en een diepe afgrond voert de weg naar een half tussen bomen verscholen kerkje, dat kennelijk het eindpunt is van deze route. Het vervallen gebouwtje heeft verveloze luiken voor de ramen. Het roestige smeedijzeren hek van het kerkhofje ernaast staat half open. Het geheel ziet er niet uit alsof hier nog vaak mensen komen.

Ik stap uit om te verkennen waar ik het best de Mini kan keren. De wind is opgestoken; het hek zwaait met piepende scharnieren heen en weer. Aan de verzakte kruizen op het kerkhof zwiepen kransen van plastic rozen en lelies. Iets hards raakt mijn been, en ik buk me om een verschoten rode plastic roos op te rapen.

Van het ene moment op het andere gutst de regen neer, en ik vlucht naar de overdekte ruimte die aan het kerkje vast is gebouwd. In het schemerige licht zie ik een in de achterwand uitgehakte trap die kennelijk naar de klokkentoren voert. Tegen een andere muur staan een paar roestige kruizen. Het kleinste heeft achter gebarsten glas een fotootje, ik veeg het stof eraf en zie een blond meisjeskopje. Marie-Anne is niet ouder dan drie jaar geworden toen ze door de Here bij haar ouders werd weggehaald.

Bliksemflitsen hebben het effect van een schijnwerper die op onverwachte momenten wordt ingeschakeld, en ik krimp in elkaar als de eerste donderslag weergalmt tussen de oude afgebrokkelde muren. De hele sfeer heeft iets dreigends waar ik zo snel mogelijk aan wil ontsnappen. Met gebogen hoofd loop ik tegen de storm in naar de Mini.

Ik wil instappen als ik tot mijn verbazing een oude vrouw met hoog opwaaiende rokken aan het hek zie rukken in een poging het te sluiten. Lange grijze haren zijn aan een knotje ontsnapt en waaien alle kanten uit. Telkens opnieuw trekt de wind het hek uit haar handen. Ze maakt een gebaar van wanhoop en kijkt naar me alsof ze hulp van me verwacht. Ik ben in een paar stappen bij haar, het hek biedt weerstand, maar het lukt me om het dicht te trekken. Met klauwachtige handjes draait de oude vrouw met een grote sleutel het slot dicht. Zonder iets tegen me te zeggen keert ze zich om en een paar tellen later is ze verdwenen, langs een voetpad dat ik niet eerder had opgemerkt.

Het is donker als ik bij de boerderij kom. Het weerlicht nog steeds en de takken van de beuk waaronder de cabrio van Alexander staat, bewegen wild in het schijnsel van mijn koplampen. Regen stroomt langs mijn voorruit als ik de motor afzet. Ik ben uitgeteld.

In het donker op een onbekende weg rijden valt hoe dan ook niet mee, maar als die smal en kronkelig is en langs diepe afgronden voert, wordt het wel erg zenuwslopend. Alexander staat in de deuropening als ik uit de auto stap, en voor de tweede keer trotseer ik met gebogen hoofd regen en storm.

'Ik begon me al zorgen te maken,' zegt hij terwijl hij de deur achter me sluit.

'Ik had je willen bellen, maar ik had geen bereik.'

Mijn T-shirt plakt aan mijn lichaam, mijn haren hangen in slierten langs mijn gezicht. 'Ik ga even iets anders aantrekken.'

Hij knikt.

De schemerlampen zijn aan en hij heeft kaarsen aangestoken. In de intimiteit van de haardkamer zou je het noodweer kunnen vergeten, als de huilende wind en het geklapper van luiken niet constant te horen zouden zijn.

Met droge kleren aan stuur ik vanaf de rand van mijn bed een mailtje naar Sylvie. 'Ik ben op de camping geweest, een halfuurtje rijden vanaf het huis van Alexander, dus dat viel enorm mee. Erg landelijk en aantrekkelijk! Ik denk dat Alice het daar leuk heeft gehad. Foto's heb ik ook gemaakt, maar het was geen mooi weer, dus stel je er niets van voor. Zodra ik weer thuis ben kom ik langs.'

Het is een onbeduidend mailtje om te sturen naar iemand die tegen beter weten in hoopt op nieuws over haar verdwenen dochter, maar ik heb niet meer te bieden dan wat ik geschreven heb.

In de haardkamer vertel ik Alexander over het kerkhof en de oude vrouw, met het huilende geluid van de storm als perfecte achtergrond van mijn verhaal. 'Ik wist niet dat het hier zo onheilspellend kon zijn. Of misschien is "mystiek" een beter woord,' zeg ik. 'Het zou me niet verbazen als zich met dit weer een geest zou aanmelden.'

'Van wie?' Hij heeft zich over mijn glas gebogen om het bij te vullen.

'De geest van wie? Geesten zijn altijd van mensen die nog niet klaar zijn met hun aardse leven. Die hier nog zaken hebben af te handelen voordat ze bevrijd genoeg zijn om naar de geestenwereld te gaan. Vaak is het de geest van iemand die vermoord is.'

'En jij gelooft daarin?'

Ik haal mijn schouders op. 'Ik vertel alleen maar wat ik erover gelezen heb. En heb gezien in films natuurlijk. Ik heb trouwens ook weleens een documentaire gezien waarin een team wetenschappers probeerde erachter te komen of er werkelijk geestverschijningen bestaan.'

'En?'

'Ik geloof niet dat het ooit wetenschappelijk is bewezen. Maar spannend is het natuurlijk wel om erin te geloven. En voor een moordenaar moet het toch een onaangename gedachte zijn dat de geest van de vermoorde op een nacht verhaal kan komen halen. Ik zou me er als moordenaar tenminste niet lekker bij voelen.'

Hij trekt geërgerd met zijn schouders, zijn gezicht donker en gesloten. Het is een kant van hem die ik deze week een paar keer eerder heb gezien, zonder te begrijpen wat de oorzaak van de plotselinge verandering is. In die duistere momenten straalt hij iets uit dat me vaag verontrust, maar voordat ik me daar werkelijk zorgen om kan maken is hij alweer zichzelf – dat wil zeggen, de man die ik ken en aardig vind.

'Laten we het over iets leukers hebben,' zegt hij, maar voordat hij verder kan gaan met zijn verhaal knalt de voordeur met zo'n kracht open dat hij tegen de gepleisterde muur slaat. De kaarsen op tafel doven, op hetzelfde moment dat de elektriciteit uitvalt.

Alexander mompelt een vloek terwijl hij naar de deur rent en die met kracht weer dicht duwt. Op diverse plaatsen hangt een zaklantaarn voor situaties als deze, heeft Alexander me bij de rondleiding door de boerderij verteld. Het duurt dan ook niet meer dan een paar seconden voordat er een bundel licht door de kamer glijdt.

'Aan de spijker naast de haard hangt nog een zaklantaarn. Haal lucifers uit de keuken en steek de kaarsen weer aan. Ik ga naar de stoppenkast kijken of ik de elektriciteit op gang kan krijgen of dat de storing in de centrale zit.'

Ik pak de lantaarn terwijl hij in de gang verdwijnt, waar achter een dik gordijn verborgen het paneel met stoppen hangt. Het geluid van de donder vult het huis, lichtflitsen verlichten fracties van seconden de kamer. Als ik kaarsen aan het aansteken ben, komt Alexander de kamer weer in.

'Het zit bij de centrale. Meestal duurt het niet langer dan een paar uur, ze sturen er altijd meteen mensen op af.'

Hij schenkt wijn in. Het flakkerende kaarslicht werpt bewegende schimmen op de muren en tussen de zware balken van het pla-fond.

'Toch gek,' zeg ik. 'Die deur die uit zichzelf openging toen we het over geesten hadden.' Het is als een grapje bedoeld, maar hij moet er niet om lachen.

'Hou toch eens op met die flauwekul,' zegt hij nijdig.

Hoofdstuk 20

De volgende ochtend is de hemel blauw en wolkeloos, alleen afgerukte takken van de bomen herinneren aan het noodweer van de dag ervoor. Ik trek mijn bikini aan en geef de takken die in het zwembad zijn gewaaid aan Alexander, die op de kant staat. Nog steeds heb ik hem niet zien zwemmen.

De enige keer dat ik plagend zijn pols pakte om hem het water in te trekken, dacht ik dat hij me zou slaan, zo razend werd hij plotseling.

'Heb je er altijd een hekel aan gehad?' vroeg ik toen hij weer wat bedaard was. 'Hoe ging het dan met schoolzwemmen?'

'Ik ben een keer bijna verdronken,' zei hij kortaf. 'En kunnen we het er nu verder niet meer over hebben?'

Sindsdien heb ik mijn twijfels of hij eigenlijk wel kán zwemmen.

De regen van de afgelopen dag heeft de natuur goedgedaan.

Het stof is verdwenen, de bladeren van de bomen en struiken zijn glanzend schoongewassen en nadat ik de ontbijtboel in de vaatwasser heb gezet en de keuken heb opgeruimd, besluit ik het terrein wat meer te verkennen.

Alexander is naar het dorp om boodschappen te doen. Soms vraagt hij of ik meega, maar deze ochtend is hij vertrokken na een korte groet. Ik denk dat hij het prettig vindt om op een terrasje de krant te lezen zonder afgeleid te worden. Voor een eenling zoals hij moet het af en toe benauwend zijn om continu gezelschap te hebben, ook al heeft hij dat zelf over zich afgeroepen.

Het terrein is groter dan ik vermoedde, en behalve het stuk grond rondom het huis is het niet gecultiveerd. Ik waad door kniehoog gras en tussen struiken door in de richting van een groep bomen die er vanuit de verte uitzien alsof ze op een plateau staan. Makkelijk gaat het niet. Overal zijn braamstruiken opgeschoten met dunne, buigzame ranken vol kleine, venijnig prikkende doornen, die ik vaak pas opmerk als ze zich aan mijn kleren hebben vastgehaakt. Maar ik zet door. Het uitzicht vanaf het plateau moet heel anders zijn dan wat ik tot nu toe heb gezien vanaf het huis, en bovendien heb ik niets anders te doen.

Als ik op een paar honderd meter afstand van de boerderij ben zie ik tussen de struiken door iets dat op het eerste gezicht een ruine lijkt. Het is warm geworden, uit de grond stijgt een lichte nevel op. Kleine dieren vluchten ritselend tussen het hoge gras weg voor mijn naderende voetstappen. Nu ik er vlak voor sta blijkt de ruïne een niet-afgebouwd huisje te zijn, van alle kanten ingesloten door groen en overwoekerd met klimop. Het dak is half ingestort. Kozijnen van ramen en deuren zijn wel aangebracht, maar er is nooit glas ingezet.

Als ik een paar takken heb weggeduwd, zodat ik naar binnen kan kijken, zie ik tussen hoog opgewaaid blad barsten in de betonnen vloer, kennelijk veroorzaakt door de wortels van een boom, die zich een weg door de restanten van het dak heeft gebaand. In wat een venster had moeten worden hebben spinnen hun dikke webben geweven. Het geheel heeft op een onheilspellende manier iets romantisch, zoals de illustraties in sommige sprookjesboeken. Er kan hier van alles gebeurd zijn, en er zou van alles kunnen gebeuren.

'Wat doe je hier, verdomme!'

Ik herken de stem niet meteen. Als ik me geschrokken omdraai, zie ik de geheven hand van Alexander te laat om hem te kunnen ontwijken. De klap voelt als een explosie in mijn hoofd.

Woede heeft het gezicht van Alexander vertrokken tot een masker dat ik nog nauwelijks herken. Hij pakt mijn arm. Zijn greep is pijnlijk maar niet te vergelijken met de pijn in mijn hoofd. 'Wat voer je hier uit? Je hebt hier niets te zoeken!'

Ik geef geen antwoord, staar hem verlamd van schrik aan, en voel zijn greep op mijn arm verstevigen.

'Geef antwoord!' Ik zie pure haat in zijn ogen.

'Laat me los!' zeg ik.

De woede trekt langzaam weg uit zijn gezicht, en de greep op mijn arm wordt losser. 'Ik kwam thuis en kon je niet vinden. Heb je me niet horen roepen? Daar bij die bomen gaat het ravijn recht omlaag; daar kun je niet zomaar rondlopen als je het terrein niet kent. Ik dacht even... toen je niet antwoordde...' Hij veegt zijn voorhoofd af en zegt: 'Ik heb je pijn gedaan. Het spijt me. Laten we teruggaan.'

Duizelend loop ik achter hem aan, te versuft om me te realiseren wat er gebeurd is, terwijl ik over mijn bovenarm wrijf.

Hij is weer de perfecte gastheer, die de takken van struiken vasthoudt totdat ik erlangs ben, zodat ze niet in mijn gezicht zwiepen, en als we bij de boerderij zijn vraagt hij of ik koffie wil om van de schrik te bekomen. Zijn gezicht is inmiddels ontspannen en vriendelijk. Het lijkt alsof er niets dramatisch is voorgevallen, en dat maakt me nog angstiger dan zijn woede-uitbarsting bij de ruïne. 'Dat huisje,' zegt hij, 'was bedoeld als gastenhuis, maar door de dood van mijn moeder is het nooit afgebouwd, en ik...'

Zonder te reageren loop ik langs hem heen naar binnen. Als ik vijf minuten later met mijn weekendtas de deur uit loop staat hij me op te wachten, en even ben ik bang voor een herhaling van de scène bij de ruïne.

'Begrijp je dan niet dat ik overgevoelig ben geworden als het om mensen gaat die ik graag mag?'

Ik geef geen antwoord en loop langs hem heen zonder dat hij een poging doet me tegen te houden.

Het is laat als ik de Mini voor de deur van de flat parkeer. Ik ben in één ruk doorgereden, met af en toe een korte stop als het bonken in mijn hoofd te heftig werd of mijn arm te pijnlijk. Blikjes Red Bull hielden me op de been, al was mijn maag er niet blij mee.

Van sommige stukken van de weg herinner ik me niet dat ik ze gereden heb. Ineens was ik in de buurt van Lille. Ineens op de rondweg Antwerpen. Ik reed alsof de duivel me op de hielen zat, en als ik hem een gezicht zou moeten geven zou hij op Alexander lijken. Nu sta ik voor de deur van de flat. De motor staat uit en het ritme en de geluiden van de rit die achter me ligt resoneren in mijn pijnlijke hoofd en mijn lichaam.

Ik draag mijn weekendtas de trappen op en doe de voordeur van het slot. Bijna meteen weet ik dat er iets mis is. Ik heb het licht niet laten branden toen ik wegging, en na een week kan er nooit nog een etensgeur in huis hangen. Op mijn hoede loop ik de keuken in. Vuile vaat staat opgestapeld op het aanrecht, en dat klopt ook niet, want ik heb de keuken voor mijn doen behoorlijk ordelijk achtergelaten.

Het kan niet anders of Rogier is nog niet lang geleden in huis geweest. Het is niet te hopen dat het uit is met zijn vriendin, zodat hij hier weer is ingetrokken. Ik loop naar de slaapkamer en knip het licht aan.

'Jezus christus!' Rogier schiet overeind, het dekbed zedig opgetrokken tot zijn kin, een hand voor zijn ogen.

De vrouw naast hem is minder preuts. Haar enorme borsten deinen op de maat van haar adem als ze tegen Rogier roept: 'Wie is dat! Wie is dat!'

Ik draai me om.

'Licht uit!' roept Rogier me achterna.

Opa komt slaapdronken tevoorschijn als ik naar de logeerkamer loop. Schriel en geschrokken in een te grote pyjama.

'Ik dacht dat je nog in Frankrijk was.'

'Zullen we morgen verder praten, opa? Ik ben erg moe.'

Hij knikt en sloft de slaapkamer weer in.

Ik lig in bed, het lampje op het nachtkastje aan, en kijk naar oma's naaitafeltje op de plek waar vroeger het bed van mama stond.

Terug bij af, denk ik. Godallemachtig, hoe krijg ik het voor elkaar!

Hoofdstuk 21

Het is niet meer dan een kort berichtje van het uitzendbureau. Mijn werk op de advertentieafdeling zit erop. Zodra er in de administratieve sector iets voor me te doen is, zal er contact met me opgenomen worden.

Mijn opluchting is immens. Ik had geen hekel aan mijn werk, want de gesprekken met mensen die via de krant met elkaar in contact willen komen, waren best leuk. Maar mijn hoofd stond de laatste tijd niet naar vaste werktijden en onnozele grappen van collega's bij het koffieapparaat.

Niet dat ik nu voor onbepaalde tijd op mijn lauweren kan rusten. Van mama heb ik een bedragje geërfd, bij elkaar gespaard van uitkeringen. Oma was des duivels toen ze het merkte. Volgens haar visie heeft zij er recht op, en misschien heeft ze wel gelijk. Maar ik voel me niet geroepen het alsnog aan haar te overhandigen. Mama heeft het voor mij bedoeld, en opa is het met me eens. Als ik zuinig ben, kan ik het er een klein jaar mee uitzingen. Die periode kan ik mooi gebruiken om te bedenken wat ik met mijn leven wil. Daar wordt het zo langzamerhand wel tijd voor.

Rogier meldt dat ik de flat weer in kan. Ik had ze daar aangetroffen omdat Chantal het een leuk idee vond om een weekje bij hem te wonen. Nodig was het niet geweest. Hij vindt het lullig dat het zo gegaan is, vooral na de reis die ik achter de rug had. Misschien is het een goed idee om een afspraak te maken en een beetje bij te praten.

Ik heb hem in geen tijden zo invoelend en hartelijk gehoord. Chantal heeft kennelijk een goede invloed op hem, maar afspraakjes met Rogier, al is het maar om bij te praten, gaan me nu nog even te ver, dus bedank ik hem vriendelijk en zeg dat ik voorlopig weer in het huis van mijn grootouders ga wonen. Het begint hem te dagen dat het ditmaal een definitief afscheid is en hij dringt aan op een laatste gesprek om als goede vrienden uit elkaar te gaan.

Ik zeg dat dat niet nodig is. We hebben een leuke tijd gehad samen en daarna een minder leuke – wat valt daarover te zeggen? En natuurlijk zijn we nog steeds vrienden. Hij is het er niet mee eens, maar ik sta sterk in mijn schoenen. Het kan me namelijk niets schelen of ik hem ooit nog zal zien.

Sylvie kan niet wachten tot ik de foto's laat zien. Ze schenkt thee in, presenteert een koekje en praat over het weer, omdat ze goed is opgevoed en heeft geleerd dat ze niet meteen met de deur in huis moet vallen. Maar ze luistert nauwelijks naar mijn antwoorden en ik haal de envelop met foto's uit mijn schoudertas.

Ik heb ze laten afdrukken. Al in geen jaren heb ik dat met foto's gedaan, maar ik dacht dat ze dat wel op prijs zou stellen.

'Dat lage gebouw, is dat waar ze werkte? Sliep ze daar?' Haar stem klinkt gretig.

Eerlijk gezegd heb ik geen idee waar de medewerkers van de camping sliepen, maar het moet wel in dat gebouw zijn geweest, dus ik knik, terwijl ik hoop dat ze mijn aarzeling niet opmerkt.

De campingwinkel heb ik wel ontdekt, in datzelfde lage gebouw. In de loop van de jaren is hij uitgegroeid tot een supermarkt waar je zo'n beetje alles kunt kopen waaraan je behoefte hebt, van droptoffees tot butagasflessen, van regenkleding tot slaapzakken.

'Alles is verbouwd in die bijna dertig jaar, Sylvie,' zeg ik. 'Maar ik denk dat er op het terrein zelf niet veel veranderd is. Dat kleine beekje – is het niet schattig? Dat vond Alice natuurlijk ook. En dat bruggetje moet er toen ook al geweest zijn.'

Ze bekijkt de foto's met een aandacht die ze in mijn ogen niet verdienen. 'Is de bushalte er nog? Alice ging vaak met de bus naar een dorp in de buurt. Daarom kende de chauffeur haar ook. Hij weet zeker dat hij haar op de dag dat ze verdween niet gezien heeft.'

Ik ken het verhaal, maar het doet haar kennelijk goed het opnieuw te vertellen.

Ze strijkt met haar vingers over de foto's – het is bijna strelen. 'Mag ik ze een tijdje houden?'

'Je mag ze hebben. Ze staan op mijn memorycard.'

'Dank je.' Ze is een tijdje stil.

Buiten hoor ik het geschreeuw van kinderen die op deze onverwacht zonnige dag massaal uit de flats zijn gekomen. Ik heb naar ze gekeken toen ik naar de ingang liep: het speelplaatsje overvol met kleintjes op de wip en de laag hangende schommels, moeders naast elkaar op bankjes, kinderwagens wiegend. Zo'n beetje alle kleuren van de regenboog door elkaar heen. De multicultisamenleving is in de praktijk een stuk vriendelijker dan vaak wordt gesuggereerd.

'Zei die man nog iets over Alice? Die Alexander?'

Haar vraag overvalt me en ik kijk haar verbaasd aan. 'Waarom zou Alexander iets over Alice gezegd hebben? Hij heeft ooit met haar in de klas gezeten, dat is alles. Ja, dat het tragisch is dat ze verdwenen is, dat zei hij.'

'Maar ze kenden elkaar wel.'

'Ja natuurlijk, omdat ze bij elkaar in de klas zaten.'

'Nee, ze kenden elkaar in Frankrijk. Toen je vertelde dat je in Frankrijk bij een Alexander ging logeren had ik meteen al het gevoel dat ik die naam ergens van kende. En dat klopte.' Ze staat op, loopt de kamer uit en komt terug met een stapeltje brieven en briefkaarten, die ze tussen ons in op tafel legt. 'Kijk.' Haar vingers zoeken koortsachtig tussen de kaarten. 'Hier!' Ze schuift de kaart naar me toe.

Ik herken meteen de foto van de camping.

'Draai maar om!'

Ik lees de tekst, en dan nog een keer omdat ik mijn ogen niet kan geloven:

> Lieve mam,
>
> Je raadt nooit wie ik in het dorp tegen ben gekomen: Alexander – je weet wel, die jongen uit mijn klas met wie ik een keer naar een schoolfeest ben geweest. Zijn ouders hebben een huis in de buurt. Is het niet gek hoe klein de wereld is? Hij is nu weer weg, maar in september komt hij terug en dan spreken we weer af. Gezellig om weer eens iemand van thuis te zien.

Ik weet niet wat ik ervan moet denken. Alexander heeft haar dus kennelijk in Frankrijk ontmoet, in elk geval die ene keer waarover ze schrijft. Is het mogelijk dat hij daar niet aan dacht toen we het over haar hadden? Natuurlijk niet, dan moet je wel een ontzettend slecht geheugen hebben. Of een selectief geheugen, zodat je alleen de dingen onthoudt die je wilt onthouden, en de rest de vergetelheid in drukt.

Ik probeer me het gesprek met hem voor de geest te halen. De keuken. De dode kip. Het bebloede mes in de handen van Alexander. Ik sta met mijn mobieltje voor hem en lees het adres van de camping voor.

'Natuurlijk ken ik die camping. Die is hier ergens in de buurt,' zei hij.

Op dat moment wist hij nog niet dat mijn bezoek aan de camping met een klasgenote van hem te maken had. Maar later aan tafel, met die verdomde kip op ons bord, hebben we er uitgebreid over gepraat. Dat zou een logisch en natuurlijk moment voor hem zijn geweest om over de ontmoeting te beginnen. Maar hij zweeg. Nee, het ging verder dan dat. Ik weet zeker dat hij heeft gezegd hoe bizar het is dat Alice in de nabije omgeving van zijn huis werkte toen ze verdween. Alsof hij het voor het eerst hoorde. Maar wat betekent zijn zwijgen? Wat moet ik ervan denken? Móét ik er wel iets van denken?'

'Dus je vindt het ook raar?' zegt Sylvie, die gespannen naar me zit te kijken. 'Waarom bel je hem niet?'

'En dan...?'

Ze zit een tijdje voor zich uit te staren. Dan zegt ze: 'Ik wou dat ik daar was, dan kon ik het hem zelf vragen.'

Hoofdstuk 22

Oma komt niet meer thuis. Er zijn zeker nog mogelijkheden om haar fysieke toestand te verbeteren, maar ze zal nooit zover herstellen dat ze terug kan naar huis. Zelfs niet met de nodige aanpassingen, en al helemaal niet met een man als opa, die met twee linkerhanden weinig voor haar zal kunnen betekenen. Er wordt gedacht aan een aanleunwoning bij een zorgcentrum.

Opa heeft gevraagd of ik bij het gesprek met de revalidatiearts en de maatschappelijk werkster aanwezig wil zijn. Hij lijkt met de minuut kleiner te worden zodat ik bang word dat hij van zijn stoel zal glijden en onder het bureau van de arts terecht zal komen.

'Wat is het alternatief?' vraag ik.

Zoals ik al dacht is er geen alternatief, althans, niet zodanig dat oma en opa nog een leefbaar bestaan hebben. Opa ziet eruit alsof het woord 'leefbaar' hem in deze context niets zegt.

'En mijn huis dan?' is de enige vraag die hij stelt. Het is een vraag waarop een simpel antwoord van toepassing is.

'Dat moet je verkopen, opa,' zeg ik.

Hij kijkt alsof ik hem een mes in zijn hart steek. Het is het einde van het gesprek. De maatschappelijk werker begrijpt dat opa tijd nodig heeft om aan het idee te wennen.

Ik zigzag naast hem tussen rollators en rolstoelen door naar oma, die in haar rolstoel zit met de kasjmier omslagdoek om haar schouders die ik haar heb gegeven.

'Dag Lotje!' Het spreken gaat haar nog moeilijk af, al wordt ze steeds beter verstaanbaar.

Ze zit ook meer rechtop, maar haar ene hand ligt nog steeds krachteloos op haar schoot, en de loopoefeningen schijnen niet tot overweldigende successen te leiden.

'We hebben met dokter Theunissen gepraat, oma,' zeg ik.

Ze bekijkt me wantrouwend.

'Hoe denkt u zelf dat het verder moet gaan met u?' vraag ik, volgens de softe gespreksmethode die ik zo vaak op de televisie heb gehoord dat ik hem moeiteloos kan toepassen.

Ze beweegt haar schouders.

'Nee, oma, we moeten er nu echt even over praten!'

'Naar huis,' zegt ze.

'Dat kan niet meer. Het huis moet worden verkocht,' zegt opa voordat ik kan reageren.

De softe aanpak kan ik verder wel schudden, belangrijk is nu om de paniek te sussen die ik in de ogen van oma zie. Haar man heeft ze nog nooit op humor kunnen betrappen, dus moet het wel waar zijn wat hij zegt.

'Huis verkopen?'

'Oma,' zeg ik, 'het gaat om wat er nog wel mogelijk is. Hoe denkt u er zelf over?'

'Naar huis...'

'Nou, dat kan dus niet,' zegt opa.

'Ziet u nou wat u hebt gedaan!' sis ik naar hem als ik dikke tranen over het gezicht van oma zie glijden.

Ik heb haar zelden zien huilen. Zelfs toen mama lag opgebaard heb ik alleen haar rood omrande ogen gezien, en het raakt me.

'Is het dan soms niet waar?' protesteert opa.

Ik pak oma's hand en druk er een kus op. 'We praten er nog wel over, lieverd!' zeg ik.

'Naar huis,' zegt oma koppig.

Deze keer houdt opa gelukkig zijn mond.

De gedachte aan Alexander en de betekenis van zijn zwijgen over de ontmoeting met Alice in Frankrijk laat zich niet verdrijven. Er klopt iets niet, maar misschien is de waarheid wel heel simpel en had hij gewoon geen zin om met me te praten over de toevallige ontmoeting met een meisje dat later verdwenen is. In de dagen waarin ik hem heb meegemaakt is er wel meer gebeurd dat ik niet begreep, dus echt onlogisch is die verklaring niet. En toch laat het me niet los.

De scène bij de ruïne kan ik zelfs achteraf niet verklaren. Zijn uitzinnige reactie met als enig excuus bezorgdheid voor mijn welzijn klonk op het moment zelf al bizar. Ik heb niet voor niets van het ene moment op het andere het besluit genomen om weg te gaan. En nu ik de briefkaart van Alice heb gelezen, ben ik ervan overtuigd dat er rondom Alexander iets heel erg mis is.

'Ik heb nog iets gevonden dat ik niet begrijp.' De stem van Sylvie klinkt timide. Ze is iemand die altijd bang is een ander tot last te zijn, terwijl ik juist tot rust kom in haar gezelschap en maar al te graag bij haar langsga.

'Ik kan het wel mailen, of gewoon voorlezen,' stelt ze voor.

'Ik kom wel even,' zeg ik.

Op de tafel waaraan we altijd thee drinken ligt opnieuw een stapeltje post.

'Na de verdwijning van Alice hebben de mensen van de camping haar spulletjes opgestuurd,' vertelt Sylvie. 'Er zaten ook de brieven en kaarten bij die ze in Frankrijk ontvangen had. Ik heb ze toen natuurlijk meteen gelezen, maar gisteren ben ik er opnieuw mee begonnen, omdat ik er nu op een heel andere manier naar kijk, en ik vond dit briefje.'

Ze schuift het naar me toe en ik herken het handschrift van mama, dat in de loop van de jaren nauwelijks is veranderd:

Beloof me dat je met niemand, NIEMAND praat over wat ik je verteld heb. Ook niet aan Alexander. Juist niet aan Alexander! Beloof het me! Annet.

Drie mensen die elkaar van school kennen. Ze hebben met elkaar te maken op een manier die verdergaat dan de vriendschappelijke verhouding van voormalige klasgenoten. Mijn moeder deelde een geheim met haar hartsvriendin, en op de een of andere manier was Alexander daarbij betrokken, en mocht Alice daarom vooral niet aan hem vertellen wat mama haar had toevertrouwd. Dit zijn de feiten, voor zover ik die ken.

Samen met Sylvie heb ik alle brieven van Alice doorgespit, maar nergens vonden we iets dat ook maar de kleinste aanwijzing verschafte. Heeft Alexander ooit het geheim van mama te horen gekregen? En had datgene wat de drie mensen verbond te maken met de zwangerschap van mama, of waren er nog meer zaken die verborgen moesten blijven? Er zijn zoveel soorten geheimen, en veel ervan kunnen onheil veroorzaken als ze bekend worden.

'Wanneer heeft mijn moeder dat briefje geschreven?' vraag ik aan Sylvie.

'In juni 1983,' zegt ze zonder aarzelen.

Ik teken een driehoek en zet er namen in: Annet, Alice, Alexander. Achter twee namen zet ik een kruisje, achter de derde naam een vraagteken. Ik tuur ernaar totdat mijn ogen pijn doen. Is er iets gebeurd tijdens de dagen dat ik bij Alexander in Frankrijk was waaruit ik iets kan afleiden, wat dan ook? Welke voorvallen hebben de meeste indruk op me gemaakt?

Zonder aarzelen komt de scène bij het vervallen gastenhuis in mijn herinnering. De explosie in mijn hoofd, de greep op mijn arm die blauwpaarse afdrukken achterliet. De woede die hij nauwelijks kon beheersen: 'Wat doe je hier! Je hebt hier niets te maken.' En later de uitvlucht dat hij bang was dat ik in de problemen zou raken, in het ravijn zou storten. Hij zei het bijna letterlijk. Maar geen mens haalt het in zijn hoofd om een gastenhuis te bouwen op een plek die gevaar oplevert, het ravijn was er nog zeker honderd meter vandaan.

'Wat loop je toch heen en weer 's nachts?' zegt opa. 'Kan het niet wat rustiger, je maakt me telkens wakker.'

Ik beloof dat ik zachter zal doen, maar niet dat ik zal ophouden met heen en weer lopen. Ik heb geen rust meer sinds ik de briefkaart van Alice en de boodschap van mama heb gelezen. Geschreven in 1983, het jaar van de verdwijning van Alice en het ongeluk van mama. Kan het toeval zijn dat die twee gebeurtenissen in hetzelfde jaar plaatsvonden? En als het geen toeval is, hoe kan ik die verschillende gebeurtenissen, die op verschillende plekken plaatsvonden, dan met elkaar verbinden?

Alexander is de enige die kan vertellen wat het was dat hem indertijd met mama en Alice verbond. Maar ik heb geen enkele illusie dat ik het ooit van hem te horen zal krijgen.

Zoals gewoonlijk staat Sylvie me bij de lift op te wachten. Het is een warme dag met de dreiging van onweer. Ik heb mijn zonnehoed, die sinds Frankrijk op mijn achterbank ligt, opgezet. Mijn gezicht blijft in de schaduw van de brede rand, een perfecte bescherming op een dag als vandaag.

Ik stap de lift uit en zie de glimlach op het gezicht van Sylvie bevriezen. Als versteend staart ze naar me, en ik loop naar haar toe terwijl ik de zonnehoed afzet, zodat ik haar een kus kan geven.

Maar ze wijkt achteruit. 'Hoe kom je daaraan?' Ze fluistert meer dan dat ze praat, alsof ze het tegen zichzelf heeft. 'Hoe kóm je daaraan?'

Ik volg haar blik en kom bij de zonnehoed terecht. 'Geleend van Alexander. Ik ben vergeten hem terug te geven. Is er iets mee?'

Ze kijkt alsof ze niet weet of ze moet lachen of huilen. 'Het is de zonnehoed van Alice!' zegt ze.

Het duurt even voordat ik begrijp hoe het mogelijk is dat een zonnehoed bijna dertig jaar lang bewaard wordt in een huis waarvan de eigenaar zegt dat de draagster van de hoed er nooit is geweest. Dat de hoed van Alice is, staat buiten kijf. Het gebloemde lint dat rondom de bol is gewikkeld is afkomstig van een afgedankte zomerjurk van Sylvie, en is op de hoed aangebracht nadat het oorspronkelijke lint eraf was gewaaid. Uit voorzorg heeft ze hem stevig vastgezet; ze wijst de stiksels aan, terwijl ze de hoed vasthoudt alsof ze niet van plan is hem ooit nog los te laten.

Als ze het theeblad gaat halen, ligt de hoed op tafel, en zodra ze zit neemt ze hem weer in haar handen. Ik vertel haar wat Alexander erover gezegd heeft, maar veel is het niet. Zijn verhaal ging over logees die na hun verblijf in de boerderij altijd wel iets vergaten mee naar huis te nemen. Achtergebleven paraplu's, regenjassen en zonnehoeden, die met plezier door zijn moeder gebruikt werden.

Ik zie de kastplank voor me waarop ze de hoeden aan het einde van het seizoen keurig op elkaar legde, om ze in de lente weer tevoorschijn te halen. Op die manier kan een hoed dertig jaar tijd doorstaan. Maar nadat ze in de herfst was verongelukt, werden de hoeden niet meer van de plank gehaald. Waarom zou Alexander de kast van zijn moeder leeghalen in een huis waarin zoveel ruimte is voor één man, terwijl het bovendien handig is om spullen bij de hand te hebben voor als een logee iets nodig heeft? Een zonnehoed bijvoorbeeld.

'Ik wil naar hem toe,' zegt Sylvie. 'Ik laat hem de kaart en het briefje zien, en dan vraag ik wat het te betekenen heeft en hoe de zonnehoed van Alice in zijn huis terecht is gekomen. Hij zal wel moeten antwoorden.'

Ik probeer me de situatie voor te stellen: Sylvie die het 'bewijsmateriaal' overhandigt van iets dat ze niet begrijpt. Alexander zal ernaar kijken, zijn gezicht gesloten en ondoorgrondelijk, zoals hij in de keuken naar mij keek, het bebloede mes in zijn hand, op het moment dat ik over de camping begon. Waarschijnlijk zal hij zijn schouders ophalen en zeggen dat hij geen idee heeft. Het is allemaal zo lang geleden – en ach, hij heeft dus inderdaad Alice ontmoet in dat Franse dorp, blijkt nu. Maar moet een mens elke toevallige ontmoeting in zijn leven onthouden?

En dat andere briefje, dat is iets van vriendinnen onder elkaar. Vrouwengeheimen waar mannen niets van begrijpen, wat ze ook niet moeten proberen.

Maar de hoed dan? En hier gaat hij hoog spel spelen. Sylvie moet zich vergissen, maar als dat niet zo is, weet hij evenmin het antwoord op haar vraag. Hoe moet een zoon weten hoe zijn moeder aan haar hoeden komt? Hij zal die arrogante glimlach op zijn gezicht krijgen waarmee hij me een paar keer moeiteloos overdonderd heeft.

Hij zal de briefkaart en het briefje teruggeven en zeggen dat het jammer is dat Sylvie er zo'n lange reis voor over heeft gehad. Had ze maar even gebeld; ze ziet nu zelf hoe weinig het te betekenen heeft allemaal. Kan hij haar misschien iets aanbieden? De wijn die hij in huis heeft is uitstekend. En Sylvie zal tegenover hem zitten, de briefkaart en het briefje op haar schoot. Ze zal er met haar hand overheen strijken alsof ze er iets van warmte aan wil ontlenen in de nabijheid van deze man die alleen maar kilte uitstraalt. En dan zal ze naar huis gaan. In haar kleine auto dat hele eind weer naar huis rijden, verslagen tot op het bot, de briefkaart en het briefje in haar schoudertas en weer terug bij af.

Ik zeg tegen haar dat het een onzalig plan is dat tot niets kan leiden en bij voorbaat al tot mislukken is gedoemd. Als ze gaat huilen sla ik een arm om haar heen, en ik beloof haar dat ik zelf zal gaan en dat ik niet terug zal komen voordat ik de kwestie heb opgelost. En dat is een verschrikkelijke belofte, omdat ik geen idee heb hoe ik het moet aanpakken.

Opnieuw loop ik 's nachts door het huis, gekweld door de gedachte dat ik het antwoord op mijn vragen zou kunnen vinden als ik maar zou weten waar ik moet zoeken.

Eén ding is zeker: hoe ik het ook ga doen, ik zal heel voorzichtig te werk moeten gaan. Alexander is een man die niet met zich laat spotten. Zijn reactie toen hij me aantrof bij het gastenhuisje is een voorproefje van wat me te wachten staat als hij merkt dat ik serieus op onderzoek uit ben en dat het gastenhuisje daar deel van uitmaakt.

In mijn hoofd heeft zich een luguber scenario ontwikkeld. Alice ontmoet toevallig Alex, en heeft dat niet alleen aan haar moeder maar ook aan haar beste vriendin gemeld. En waarom ook niet? Het is een leuke onverwachte gebeurtenis zonder verdere lading. Maar mijn moeder raakt in paniek. Ze heeft ooit een groot geheim aan Alice verteld, iets dat Alexander onder geen beding te weten mag komen, en ze heeft nooit aan de mogelijkheid gedacht dat die twee elkaar in Frankrijk toevallig zouden ontmoeten. Maar dat gebeurt wel, en mama schrijft in grote haast het briefje: *Beloof me dat je met niemand, NIEMAND praat over wat ik je verteld heb. Ook niet aan Alexander. Juist niet aan Alexander! Beloof het me! Annet.*

Zo belangrijk is het dus. Maar het blijft niet bij die ene toevallige ontmoeting van Alexander en Alice, en als er een vriendschap tussen hen ontstaat, en misschien zelfs wel een relatie, vertelt Alice op een dag aan Alexander het geheim dat mama met haar gedeeld heeft. En dat wordt haar ondergang, daarvan ben ik overtuigd, al heb ik geen idee van de reden. Het zal gebeurd zijn in een van de periodes dat hij alleen in de boerderij was. Die ligt afgelegen genoeg om iemand om te brengen en het lichaam weg te werken. Het gastenhuisje dat toen in aanbouw was, zou zo'n gekke plek niet zijn om iemand te begraven.

In de grond die al omwoeld was door de werkzaamheden was het makkelijker graven dan op de rest van het terrein. En als de betonnen vloer nog gestort moest worden, kon hij er zeker van zijn dat niemand ooit op het idee zou komen dat er weleens iemand onder zou kunnen liggen. Dat het huisje nooit afgebouwd zou worden, kon hij toen nog niet weten, maar dat verandert niets aan de veiligheid van de plek.

Ik weet dat mijn hele redenering is gebaseerd op veronderstellingen. Op een briefje met een dringend verzoek van mijn moeder aan haar beste vriendin. Op een hoed die in de boerderij achterbleef toen Alice allang in de grond verborgen lag. Er is meer voor nodig om de recherche in actie te laten komen, maar hoe moet ik aan meer materiaal komen? Bij de politie wordt het onderzoek naar sommige cold cases met behulp van de modernste technologieën heropend. Ik heb geen enkel hulpmiddel. Op handen en voeten zal ik binnenkort door een ruïne kruipen die op instorten staat, zoekend naar het graf van iemand die bijna dertig jaar geleden is begraven door een man die tot alles in staat is als iets hem niet bevalt. Om zo min mogelijk risico te lopen kan ik pas op onderzoek uitgaan als Alexander weer in Nederland is.

Ik rijd nu regelmatig door de laan waar Alexander woont als hij in het land is: een groot hoekig huis in een steensoort die me te somber is, maar dat wel het doordachte ontwerp van een goede architect uitstraalt. Het tuinhek is alle keren dat ik langsrijd gesloten en er staat geen auto op de oprit, alhoewel Alexander misschien het hek achter zich sluit en de Saab in de garage zet. Toch ben ik ervan overtuigd dat hij niet thuis is, want de lichten die ik zie branden gaan altijd op dezelfde tijd en in dezelfde kamers aan. Maar ik kan niets beginnen voordat ik zeker weet dat Alexander tien uur rijden van me vandaan is.

Op een avond – ik rijd bijna gedachteloos langs zijn huis zonder goed te kijken, zie ik het hek openstaan. In de oprit staat zijn cabrio geparkeerd. Het is tijd om te vertrekken.

Hoofdstuk 23

'Ga je alweer naar Frankrijk?' zegt opa. 'Je bent net terug. Hoe moet dat nou met oma? Sinds ze weet dat ze nooit meer naar huis kan, zit ze almaar te huilen. Aan jou heeft ze meer dan aan mij, en als we een aanleunwoning aangeboden krijgen wil ik graag dat je meegaat om te kijken. Ik laat me niet overal in stoppen.'

Hij denkt nog steeds dat de zorginstellingen in de rij zullen staan om woonruimte aan te bieden.

'Opa, zo'n vaart loopt het echt niet,' zeg ik. 'Jullie staan op een wachtlijst. Mét urgentieverklaring, maar zo snel zal het heus niet gaan. Ik blijf niet lang weg.'

Sylvie is blij als ik haar over mijn vertrek vertel. 'Weet je zeker dat ik niet beter mee kan gaan? Met z'n tweeën hebben we meer kans dat hij de waarheid vertelt.'

Dat het helemaal de bedoeling niet is dat ik Alexander zal ontmoeten om een beschaafd maar dringend gesprek met hem te voeren, vertel ik haar niet, en ook niet dat ik op zoek zal gaan naar het graf van haar dochter. Hoe minder ze weet, hoe minder ongerust ze zal zijn.

Ik stop wat kleren en een paar handdoeken in mijn weekendtas. Hoe korter ik in het huis van Alexander zal zijn, hoe beter, en voor een paar dagen zal ik niet veel nodig hebben.

De reis lijkt korter te duren dan de vorige keer. Ik plan de rusttijden beter, en ik heb gemerkt dat een paracetamol in combinatie met een blikje Red Bull me aardig op de been houdt.

De middag loopt op zijn eind als ik de Mini onder de grote beuk parkeer, maar omdat hij op die plek vanaf de weg zichtbaar is verplaats ik hem toch maar naar de zijkant van het huis. Ik wil het risico niet lopen dat zijn buurman de kippenslachter, aan wie Alexander ongetwijfeld verteld heeft dat hij een tijdje afwezig zal zijn, hem belt met de mededeling dat er een auto voor zijn huis geparkeerd staat.

De zon staat laag en legt een gouden waas over het landschap. Het uitzicht is zo bloedstollend mooi dat het me moeite kost te denken aan een vermoord meisje dat ergens op dit terrein onder de aarde ligt. Ik weet dat er een sleutel van de keukendeur verscholen ligt onder de grote aardewerk pot met een vijgenboom erin, aan de rand van het zwembad. Niemand zal de moeite nemen alle potten die rondom het huis staan op te tillen in de hoop ergens een sleutel te vinden, maar de hulp die na het vertrek van Alexander het huis komt schoonmaken kan er op die manier in, net zoals de buurman die regelmatig komt kijken of alles in orde is.

Niets is schadelijker voor een huis dat regelmatig onbewoond is dan een lekkage die de hele winter doorsijpelt, of een luik dat kapot klappert in de najaarsstormen, omdat niemand ernaar om-kijkt. Maar Alexander heeft het allemaal perfect geregeld, zoals alles in zijn leven, en ik heb zijn opschepperijen aangehoord met een bewonderende blik in mijn ogen, omdat ik in die paar dagen al had gemerkt hoe gevoelig hij daarvoor is.

Het voelt niet goed om zonder toestemming het huis van een an-der binnen te stappen. Als de nachten niet zo koel zouden zijn, zou ik buiten gaan slapen, op een van de ligstoelen die in het schuurtje naast het zwembad opgeslagen staan, met de grote kus-sens erbij.

Nu zet ik mijn weekendtas in de slaapkamer waar ik de vorige keer sliep en ga op het bed liggen nadat ik in de keuken een blikje soep heb opgewarmd dat ik heb meegebracht. In de keukenkast heb ik een grote voorraad tagliatelle aangetroffen en een paar glazen potten met bolognesesaus ernaast, maar ik wil zo min mogelijk gebruik maken van de eigendommen van Alexander.

Ik slaap slecht. Telkens schrik ik met hartkloppingen wakker, omdat ik zeker weet dat er een deur opengaat en ik me verbeeld dat ik de voetstappen van Alexander hoor, waarbij het zweet me uitbreekt omdat ik geen idee heb hoe ik in dat geval mijn aanwezigheid zou moeten verklaren. Ik neem me voor om één dag aan mijn onderzoek te besteden, nog een nacht in het huis te blijven en dan te vertrekken nadat ik al mijn sporen heb uitgewist.

Het water van het zwembad is kouder dan ik had verwacht. Ik droog me klappertandend af en kruip nog klam in mijn kleren, maar het korte ochtendbad heeft me opgefrist en mijn hoofd helder gemaakt. De zon probeert zonder veel succes door de sluierbewolking heen te dringen. Het licht is schel, mijn zonnebril ligt nog in de auto en ik heb geen zin hem te halen.

Ik baan me een weg door de struiken en bosjes, waarbij ik me net als de vorige keer telkens moet bevrijden van de lange ranken van braamstruiken die zich aan mijn linnen broek en, pijnlijker, blote enkels hechten.

Als ik het gastenhuisje nader, brengt de herinnering aan de laatste keer dat ik hier was het zweet in mijn handen en ik moet mezelf dwingen om het huisje binnen te gaan. Zoals ik de vorige keer al had gezien, wordt een groot deel van de gebarsten betonnen vloer bedekt met een dikke laag naar binnen gewaaid blad. Losse brokken steen kraken onder mijn schoenen. Spinrag hangt in sluiers van de restanten van het plafond en plakt aan mijn gezicht en in mijn haren. Mijn hart staat stil als ik in een andere ruimte het geluid van sluipende voetstappen denk te horen, maar het blijkt een egel te zijn die door het opgehoopte blad scharrelt.

Met een dode tak die op de grond lag veeg ik systematisch de vloer schoon, terwijl ik de hele tijd vermoed dat ik niet zal vinden wat ik zoek. Als Alice hier door Alexander begraven is, heeft hij dat volgens mijn eigen theorie gedaan voordat de vloer werd gestort, iets wat de kans op ontdekking heel klein maakt.

Maar stel dat deze plek helemaal niet zijn voorkeur heeft gehad. Ik loop de bouwval uit, ga op een halfafgebroken muurtje zitten en probeer mijn gedachten op een rijtje te krijgen. Waarom ben ik juist hier aan het zoeken? Om de reactie van Alexander toen hij me hier aantrof. Ik had hier niets te zoeken, schreeuwde hij. Ik mocht hier niet komen. Maar waarom niet? Waarom was hij zo kwaad? Er is hier niets te bekennen wat gevaar voor me zou kunnen opleveren, terwijl bezorgdheid zijn argument was. Wat kan dan wél zijn schrik en woede hebben veroorzaakt?

Hij had het over het ravijn, een eindje verderop, waar je het terrein moest kennen om niet naar beneden te storten. Zou het kunnen zijn dat Alexander méér redenen had dan mijn veiligheid om me niet in de buurt van die afgrond te laten komen? Het meisje op de camping zei letterlijk, toen het over de ravijnen ging: 'Als je niet weet waar je moet zoeken, vind je hier iemand nooit meer terug.' Zeker niet als de afgrond zich op je eigen terrein bevindt en er geen enkele argwaan tegen je bestaat. Ik kom overeind. Als er ergens een spoor van Alice te ontdekken valt, moet het daar zijn.

Het is inderdaad gevaarlijk. De rand van het ravijn is dicht begroeid, en omdat ik naar beneden wil kijken kom ik een paar keer zo dichtbij dat er voor mijn voeten een paar stukken steen afbrokkelen die naar beneden stuiteren en in de bosjes verdwijnen, terwijl ik me met hartkloppingen van schrik aan de dichtstbijzijnde struik vastklem.

Het is een prachtige plek, met een adembenemend uitzicht over een dal en de heuvels en bergen erachter. De zon komt af en toe tussen de wolken door en trekt glanzende banen licht over stukken weiland, torenspitsen van kerkjes en de toppen van de loofbossen verder weg. Maar vlak onder me is de wand van het ravijn steil, woest en onherbergzaam. Alleen aan touwen gezekerde bergbeklimmers kunnen erin afdalen. En wie hier graaiend naar houvast zijn dood tegemoet valt, zal nooit teruggevonden worden als niemand weet dat dit de laatste plek was waar hij nog leefde.

Terwijl ik met samengeknepen ogen tuur naar de met gras begroeide stukken rots tussen groepjes naar het zonlicht reikende struiken, vraag ik me af waar ik eigenlijk naar zoek. Wat zou ik na bijna dertig jaar nog van Alice aan kunnen treffen, áls Alexander haar al op deze plek gedumpt heeft? Hooguit wat beenderen die in de loop van de jaren door regen, storm en dieren verspreid zijn geraakt. Misschien wat flarden van de kleren die ze droeg.

Ik probeer zo systematisch mogelijk de wand van het ravijn te onderzoeken, maar de hele tijd besef ik dat het onbegonnen werk is, en bovendien afmattend, omdat ik bij iedere beweging bedacht moet zijn op gevaar. Ik begin honger en dorst te krijgen. Ondanks het steeds dichter wordende wolkendek is de temperatuur nog behoorlijk hoog. Mijn keel voelt uitgedroogd en mijn handen beginnen te trillen van de krampachtigheid waarmee ik me elke keer als ik een blik onder me werp vasthoud aan takken en stammetjes. Er zit niets anders op dan iets te gaan eten en drinken, en daarna weer verder gaan.

Dat ik dit in één dag oplos is hoe dan ook onmogelijk, maar de kans van slagen is zo klein dat ik er weinig voor voel er een tweede dag aan te besteden. Alleen vanmiddag nog, zeg ik tegen mezelf. Als ik daarna nog energie over heb vertrek ik voor de nacht invalt.

De koelte van de boerderij doet weldadig aan. Mijn kleren plakken aan mijn lijf. Ik hou mijn handen onder de kraan en verbeeld me dat ik het koele water van het zwembad om me heen voel. Ik eet de laatste broodjes die ik in een koeltas heb meegebracht en drink een paar glazen water nadat ik de kraan lang door heb laten lopen.

Een halfuur later ben ik weer bij het ravijn. In boeken zou ik nu een spoor vinden: een halfvergane hand die uit de aarde steekt, een kale schedel met alleen een pluk haar erop. Maar uur na uur verstrijkt zonder dat ik iets ongewoons zie, en ik raak steeds dieper doordrongen van het onmogelijke van deze zoektocht. Ik ben er heilig van overtuigd dat Alice vermoord is door Alexander, en dat de overblijfselen van haar lichaam hier ergens beneden me liggen, maar met dezelfde zekerheid weet ik dat ik haar niet zal vinden.

Aan het begin van de avond – het begint al te schemeren – heb ik nog steeds niets ontdekt. Een soort koppigheid dwingt me door te gaan, en tegelijkertijd voel ik een zenuwachtige onrust die me vertelt dat ik moet ophouden met deze hopeloze vertoning, en zo snel als ik kan moet verdwijnen.

Als ik eindelijk en met tegenzin besluit terug te gaan naar de boerderij trekt iets mijn aandacht. Iets dat vaalrood van kleur is en half onder een steen ligt.

Ik ga op mijn buik liggen om beter over de rand te kunnen kijken. Misschien is het gezichtsbedrog, maar datgene waar ik naar kijk lijkt nog het meest op een sportschoen.

Mensen gooien van alles in afgronden. Soms zie je foto's waarop een ravijn wel een vuilnisbelt lijkt. Maar ik kan me niet voorstellen dat iemand de moeite heeft genomen om zich door een reeks braamstruiken heen te worstelen alleen om een paar afgedankte sportschoenen weg te gooien. Ik lig er ademloos naar te staren.

Is dit het spoor waarop ik hoopte? Het bewijs dat Alexander hier Alice heeft gedumpt?

De schoen ligt op een plek waar ik niet bij kan komen. Waar niemand bij kan komen zonder klimtouwen en hulp van buitenaf. Ik frummel mijn iPhone uit mijn broekzak en klik de camera app aan. Het zal geen perfecte foto worden, maar duidelijk genoeg en zeker een bewijs dat de politie misschien zou kunnen overtuigen dat op deze plek iets is gebeurd dat nader onderzoek waard is.

Nog steeds liggend berg ik mijn mobiel weer weg. De opwinding heeft me een kick gegeven. Mijn vermoeidheid is verdwenen nu ik voor mijn gevoel het bewijs heb gevonden van iets dat tot nu toe een dwaze theorie leek. Natuurlijk weet Alexander allang dat die schoen daar ligt, zonder dat hij de mogelijkheid heeft hem weg te halen. Geen wonder dat hij bijna ontplofte toen hij merkte dat ik hiernaar op weg was.

Ik kom overeind. Terug naar de boerderij, mijn sporen wegwerken en in de Mini stappen. Mijn kleren zijn smerig en op een paar plekken opengehaald door de stekelige takken van bosjes waar ik me doorheen heb geworsteld. Ik heb bloederige schrammen op mijn armen en handen, en mijn ogen tranen van het zweet dat erin is gegleden, maar bij het eerstkomende motel zal ik douchen en schone kleren aantrekken.

Ik veeg mijn handen af aan mijn broek, draai me om en heb het gevoel dat een zwerm bijen in mijn hoofd is los gelaten.

De wereld draait om me heen, terwijl het gonzende geluid in mijn hoofd toeneemt.

In de schaduw van een dennenboom, onbeweeglijk als een standbeeld, staat Alexander naar me te kijken.

Hoofdstuk 24

We staan doodstil tegenover elkaar. Mijn hart klopt in mijn keel – ik heb het gevoel dat ik elk moment flauw kan vallen.

'Als je op een geheime missie bent, kun je dat beter niet aan je grootvader vertellen,' zegt hij. 'Ik heb je gebeld en binnen drie minuten wist ik dat je naar mijn huis onderweg was. En helaas voor jou: mijn auto rijdt een stukje sneller dan de jouwe.'

'Alice,' zeg ik, en haat het dat mijn stem trilt. 'Waarom?'

Hij doet een stap in mijn richting. Ik kan geen kant op. Achter me is het ravijn, naast me zijn struiken, en voor me in het laatste licht staat Alexander, als een god die beschikt over leven en dood.

'Dat kan ik beter aan jou vragen. Waar maak je je druk om? Wie kan het na dertig jaar nog wat schelen?'

'Haar moeder,' zeg ik.

Hij haalt zijn schouders op. 'Je had je er niet mee moeten bemoeien.'

'Was ze dood toen...' Ik maak een gebaar naar het ravijn, zonder me om te draaien. Ik moet hem aan de praat houden. Het schemert al, met die hoge bergen is het van de ene minuut op de andere donker en dan kan ik misschien wegkomen.

Maar hij haalt een lantaarn uit een van de zakken van zijn kakibroek. 'We gaan eerst maar een beetje babbelen. Ik wil weleens van je horen wie er allemaal weten dat je hier bent.'

Hij pakt mijn arm en het voelt alsof er een bankschroef aangedraaid wordt. Het licht van zijn lantaarn verlicht alleen waar hij loopt. Ik struikel half achter hem aan in een poging zijn tempo bij te houden omdat hij mijn arm bijna uit de kom trekt als ik niet snel genoeg ben.

We komen langs de bouwval en hij stopt even en lacht. 'Je dacht zeker dat ik getikt was?' Hij loopt weer verder. Ik voel hoe mijn huid opengehaald wordt. Alles doet pijn, alles schrijnt, maar ik sta op scherp. Zolang we buiten zijn doet zich misschien nog een kans voor om te ontsnappen. Eenmaal in de boerderij ben ik aan hem overgeleverd.

Ondertussen loopt hij door. Zijn lantaarn beschijnt zijn in half-hoge laarzen gestoken voeten, die alles plattrappen wat op hun weg komt. De bosjes waar hij me tussendoor trekt worden minder dicht, en dan zijn we eindelijk op het open stuk voor de boerderij.

Het is mijn kans om naast hem te komen. Hij is niet verdacht op mijn voet voor de zijne – pootje haken noemden we dat lang geleden op school; je maakte je er niet populair mee, maar het werkte wel. Hij vloekt terwijl hij struikelt, zijn greep op mijn arm wordt losser. Met een ruk heb ik me bevrijd, maar voordat ik vijf meter van hem vandaan ben is hij alweer opgestaan en komt achter me aan.

Rennend voor mijn leven zet ik koers naar het zwembad en struikelend over de rand val ik plat op mijn gezicht in het water, op het allerlaatste moment dat ik nog de kans heb en zijn grijpende handen langs mijn rug schampen.

Ik verwacht dat hij achter me aan zal springen. Het zal hem weinig moeite kosten om me onder water te houden totdat de laatste luchtbellen verdwenen zijn, maar de plons die ik verwacht en vrees blijft uit. In plaats daarvan word ik gevangen in het schijnsel van zijn zaklantaarn, waarachter ik hem niet kan zien. Ik zwem naar de overkant van het bad. Het water is koud; voordat ik de kant heb bereikt ben ik al aan het klappertanden.

Mijn kleren kleven zwaar aan mijn lichaam en trekken me naar beneden, mijn schoenen hangen als lood aan mijn benen en ik probeer ze zonder succes van mijn voeten te krijgen.

De middag bij het ravijn, mijn schrik toen ik Alexander zag staan en de woeste tocht die in dit bad geëindigd is, vragen hun tol.

Ik denk dat ik geen tien slagen meer had kunnen zwemmen van vermoeidheid als er niet ook de adrenaline zou zijn. Want ik wil niet doodgaan op deze afgelegen plek, in de handen van een man die er kennelijk geen enkele moeite mee heeft iemand voorgoed te laten verdwijnen.

Terwijl ik zover mogelijk van de lichtbundel vandaan uitrust, met mijn ene hand op de betegelde rand, terwijl ik met de andere mijn schoenen losmaak en van mijn voeten schuif, blijf ik scherp opletten.

Ik heb geen idee hoe dit moet aflopen, maar Alexander waarschijnlijk ook niet. Er is een patstelling ontstaan; iedere keer als hij me benadert zal ik weer van hem vandaan zwemmen. Zonder geweer of pistool kan hij me niets maken.

Er is geen beweging aan zijn kant van het bad.

Naar de positie van zijn zaklantaarn te oordelen is hij erbij gaan zitten, omdat hij net als ik tot de conclusie is gekomen dat hij me voorlopig niets kan maken.

Het maakt me ontspannener dan ik zou moeten zijn, zodat ik hem niet hoor aankomen en zijn aanwezigheid pas opmerk als hij mijn haar grijpt en met de andere mijn bovenarm omklemt.

We worden nu allebei belicht door de lantaarn aan de overkant van het bad, die hij kennelijk op een stoel heeft gelegd voordat hij naar me toe sloop.

Een ruk aan mijn haren, en mijn hoofd klapt tegen de wand van het zwembad. Zijn hand glijdt langs mijn gezicht, op zoek naar mijn keel, en als ik hem langs mijn mond voel bijt ik met alle kracht die ik nog kan opbrengen.

Hij brult en zijn hand verdwijnt, maar mijn haar heeft hij nog steeds vast, en het voelt alsof ik gescalpeerd word als ik me afzet van de kant. Maar hij moet loslaten, wil hij niet door me het water in getrokken worden, en dat is kennelijk iets wat hij meer dan wat ook vreest. Opnieuw zwem ik midden in het bad.

De lichtbundel is verdwenen.

Ik heb nu geen idee meer aan welke kant van het bad hij is.

De kansen zijn gekeerd. Ik kan alles bedenken om het zo lang mogelijk vol te houden, maar er zal een moment komen dat ik de kracht niet meer heb om mezelf boven water te houden.

Het is zijn watervrees waardoor ik het uiteindelijk nog zo lang gered heb.

Nu maakt het wat hem betreft niet meer uit. Hij hoeft niets anders te doen dan in het donker aan de kant te wachten totdat ik onder water verdwijn of naar de kant zwem, waar hij me alsnog kan afmaken.

Ik laat me op mijn rug drijven, wat alleen maar lukt als ik minimale bewegingen met mijn voeten maak. Het veroorzaakt een licht gespetter, een geluidje van niets, maar ik weet dat zijn oren gespitst zijn.

Om ons heen hebben de nachtdieren bezit van het terrein genomen. Vogels tsjilpen alsof het dag is. Ik hoor krekels en dichtbij piept een muis in doodsangst, het geluid wordt steeds zachter en klagender met steeds grotere tussenpozen, totdat het verdwijnt.

Kat en muis – toepasselijker kan het niet.

Ik heb het nu zo koud dat ik bijna niets meer voel, en daarmee neemt mijn onverschilligheid toe. Wat maakt het uit of ik nog langer in dit koude water blijf liggen of naar hem toe zwem? Dan is het onvermijdelijke in elk geval snel voorbij.

Ergens heb ik gelezen dat wie in koud water valt moet proberen zijn armen dicht langs zijn lichaam te houden om zo min mogelijk warmte te verliezen, maar ik heb geen idee hoe je in zo'n positie moet voorkomen dat je verdrinkt.

Er komen onnozele gedachten in me op.

Het huis van opa dat leeggeruimd moet worden. Er moeten keuzes gemaakt worden, en wat niet mee kan naar de aanleunwoning zal verkocht moeten worden.

Sylvie schiet me te binnen, die nu nooit antwoord op haar vragen zal krijgen, net zomin als ikzelf.

Water glijdt over mijn lippen en ik schrik op. Ik mag niet wegzakken, ik wil het nog niet – of eigenlijk ook wel.

Ik zie nu ook lichtflitsen. Zou dat het begin van het einde zijn? Het begin van de bijna-doodervaring, die voor mij onomkeerbaar zal zijn?

Maar de flitsen duren langer en komen dichterbij.

Het moet een hallucinatie zijn, want ze lijken op koplampen. En dan weet ik het zeker: er rijdt een auto het terrein op.

Ik hoor een portier opengaan, en nog een.

Een schijnwerper verlicht een deel van de boerderij, glijdt over het zwembad en houdt daar halt.

Aan de kant van het bad komt Alexander uit zijn gehurkte houding overeind.

Ik verzamel mijn laatste krachten.

'*Au secours!*' roep ik.

Ze hebben de deken om me heen geslagen die Alexander gedienstig heeft aangedragen. Hij veinst er zelfs bezorgdheid bij, en praat in rap Frans met de gendarmes, die een verhaal vertellen waaruit ik begrijp dat ze gewaarschuwd zijn door de buurman die vanuit zijn hoger gelegen huis het licht van de zaklantaarn zag terwijl hij wist dat er niemand hoorde te zijn, en daarom belde.

Verder begrijp ik niet veel van wat er besproken wordt, en toch moet ik blijven opletten, want ik heb de indruk dat Alexander zich probeert uit de situatie te kletsen.

Een van de gendarmes wendt zich nu tot mij.

'Hij vindt dat je droge kleren aan moet trekken,' vertaalt Alexander.

Ik weet dat dat verstandig zou zijn – ik zit ondanks de deken te klappertanden – maar de kamer uitgaan betekent dat ik geen enkele invloed meer op de situatie heb.

Ik sta op en loop naar de logeerkamer, waar mijn weekendtas staat. Het valt niet mee de afstand te overbruggen. Bij iedere stap zuigen de natte kleren zich aan mijn lijf. Ik ruk ze van me af, droog me oppervlakkig en worstel me zo snel mogelijk in mijn droge kleren.

Op blote voeten loop ik de kamer weer in.

De gendarmes staan op het punt om weg te gaan. Ze staan al bij de deur en blijven wachten nu ze me aan zien komen.

Ik vervloek mijn onvermogen om uit te leggen wat er gebeurd is en wat er zal gebeuren als ze me bij Alexander achterlaten, en in mijn wanhoop pak ik een van de gendarmes bij zijn mouw, wijzend op Alexander, terwijl ik zeg: '*Il veut me tuer! Il a tué une autre femme. Elle est dans le ravin. Aidez-moi!*'

Ze kijken elkaar aarzelend aan, terwijl Alexander in rap Frans ongetwijfeld aan het vertellen is dat ik niet goed bij mijn hoofd ben en dat hij me met een warme kruik in bed zal stoppen als ze weg zijn.

Een van de gendarmes zegt iets waar '*demain*' in voorkomt.

Misschien dat hij morgen nog eens langskomt om de situatie in ogenschouw te nemen. Alsof ik dan nog leef!

Ik blijf zijn arm vasthouden en zeg het wanhopigste dat in me opkomt, de titel van mama's lievelingsliedje van Brel, dat door oma niet op haar crematie gespeeld mocht worden. '*Ne me quitte pas!*'

Ze kijken elkaar met opgetrokken wenkbrauwen aan en ik zie een lachje over hun gezicht glijden bij het horen van deze dramatische woorden.

Ze zeggen een paar zinnen tegen elkaar die ik niet begrijp, halen hun schouders op en nemen me tussen hen in.

De haat in de ogen van Alexander is bijna tastbaar als we langs hem heen naar buiten lopen.

Op mijn verzoek is de eigenaar van de camping opgebeld, die ik niet ken, maar van wie ik verwacht dat hij me kan helpen met het taalprobleem. Willem heet hij, en met verwarde haren en slaapdronken ogen vertaalt hij alles wat ik vertel in vloeiend Frans.

De gendarmes fronsen vaak, maar ik kan zien dat ze steeds geïnteresseerder raken.

Als ze opstaan zegt Willem dat ze naar de boerderij gaan om Alexander op te halen.

Een halfuur later, als we naar de auto lopen, vertelt Willem dat ze er werk van gaan maken. Ik mag met hem mee – bedden genoeg op de camping – maar de politie wil wel dat ik beschikbaar blijf om een officiële verklaring af te leggen.

We rijden door de donkere nacht. Kleine dieren vluchten weg voor het schijnsel van de koplampen, één keer raken we iets dat met een doffe klap op de bumper terechtkomt en in een boog door de lucht vliegt voordat het in het duistere ravijn verdwijnt.

'Wat een verhaal!' zegt Willem. 'Die Alice, daar heb ik wel over horen praten, maar dat is heel lang geleden gebeurd. Ik begrijp niet hoe dat balletje ineens weer aan het rollen is geraakt.'

'Toeval,' zeg ik, te moe om iets uit te leggen.

Hoofdstuk 25

Ik ben met mijn laatste krachten naar huis gereden, na een korte, slapeloze nacht op de camping, met maar één gedachte die me overeind houdt: in mijn eigen bed dagenlang slapen!

Opa komt in zijn pyjama uit de slaapkamer als ik mijn weekendtas in de gang zet.

'Je hebt net een telefoontje gemist,' zegt hij knorrig. 'Het was die man die een paar dagen geleden ook al gebeld heeft. Hij vroeg of je al thuis bent.'

'O mijn god!' zeg ik. 'Luister, opa, als er aan de deur gebeld wordt, moet u niet opendoen!'

Ik ren naar de logeerkamer, schudt mijn weekendtas leeg op de grond en prop hem vol met schone kleren.

Binnen vijf minuten sta ik weer in de gang.

'Opa, als die man weer opbelt, zeg dan dat u niets van me gehoord hebt en dat u niet weet waar ik ben. En doe de deur niet open, voor niemand, opa. Voor niemand!'

Ik kijk schichtig om me heen als ik naar de Mini ren. Die is rood en niet makkelijk over het hoofd te zien als je ernaar op zoek bent. Ik zal hem ergens moeten zetten waar hij niet zo opvalt.

Ik rijd weg, zet de Mini op het parkeerterreintje van het politiebureau – de veiligste plek die ik op dit moment kan bedenken – en pak mijn mobiel.

Ik heb geen idee of ik overspannen reageer op opa's mededeling over het telefoontje. De kans is groot dat Alexander vanuit zijn huis in Frankrijk heeft gebeld, maar ik durf geen risico te nemen – niet met deze man.

Sylvie reageert meteen. 'Ja, ik slaap al, maar dat geeft niet!'

Ik leg uit dat ik niet thuis kan slapen en dat ik de Mini voorlopig niet meer kan gebruiken.

Tien minuten later stopt haar auto voor het politiebureau.

'Ik zal je alles vertellen,' zeg ik als ik naast haar in de auto kruip. 'Maar nu ben ik zo verschrikkelijk moe dat ik nauwelijks meer kan denken. Laat me alsjeblieft eerst slapen.'

Het is tegen middernacht als ik in bed kruip, en precies vierentwintig uur later word ik weer wakker.

Een dag nadat ik door de gendarmes uit het water gehaald ben, zijn er mensen met klimtouwen in het ravijn afgedaald.

De beenderen die ze verspreid over de rotswand aantroffen, plus restanten van kleding, waaronder een halfverteerde schoen, moeten nog onderzocht worden, maar duidelijk is in elk geval dat er iemand in het ravijn is gegooid of gevallen.

Voor Sylvie is er, ook al heeft er nog geen DNA-onderzoek plaatsgevonden, geen twijfel meer mogelijk.

'Nu kan ik mijn dochter eindelijk begraven,' zegt ze. 'Maar dat beest daar in Frankrijk moet gestraft worden.'

Maar zo simpel ligt het niet.

Zelfs als Alexander zou toegeven dat hij Alice vermoord heeft, zou hij niet meer vervolgd kunnen worden omdat de zaak al lang en breed is verjaard, heeft de rechercheur van het Franse politiebureau gezegd. 'Zo zit de wet nu eenmaal in elkaar,' voegde hij er met een licht schouderophalen aan toe.

Ook de aanklacht wegens poging tot moord die ik met de campinghouder als tolk wilde indienen, was volgens hem tot mislukken gedoemd: er zijn geen getuigen, het woord van Alexander tegen het mijne... De ervaring heeft hem geleerd dat zulke zaken op niets uitlopen.

Sylvie kan het niet geloven als ik het vertel.

'Dus wij zijn de losers!' zegt ze.

Ik knik.

Ze buigt zich naar me over.

'Je kunt meegaan of niet, maar deze keer laat ik me niet door jou tegenhouden. Ik ga naar Frankrijk!'

Halverwege de nacht parkeert Sylvie de auto een paar honderd meter voor de boerderij van Alexander.

We zijn een week lang iedere avond langs zijn huis gereden en alle keren ging de automatische verlichting op dezelfde tijd aan.

Hij belde op de avond dat ik thuiskwam dus vanuit Frankrijk, waarschijnlijk met de bedoeling om me bang te maken.

Alles wijst erop dat hij zich in zijn boerderij heeft teruggetrokken, onaantastbaar als hij voor de gendarmes is met zijn verjaarde moord. Waarom zou hij daar ook weggaan? Van de politie heeft hij niets te vrezen.

Boven ons hoofd is de halvemaan door meer sterren omringd dan ik ooit in mijn eigen land heb gezien. Het komt goed uit, want nu hoef ik de staaflantaarn niet te gebruiken die ik gekocht heb omdat je er ook behoorlijke klappen mee kunt uitdelen.

Zo zacht mogelijk lopen we over het terrein van Alexander.

Hij zit kennelijk te lezen, zoals vaak tot diep in de nacht, want er komt licht uit de kleine vensters. Zijn cabrio is de enige auto die onder de boom geparkeerd staat.

We sluipen langs het huis naar het zwembad. Daar verdwijnt Sylvie tussen de vlinderstruiken die het bad omzomen, terwijl ik mezelf aan de zijkant van het schuurtje waarin de ligstoelen bewaard worden opstel. Zeker in mijn zwarte kleren ben ik nu onzichtbaar voor wie het zwembad vanaf het huis nadert.

De roofdieren van de nacht zijn weer aardig bezig. Het gepiep van muizen en kleine vogels die overvallen worden, en de triomfkreten van hun moordenaars vullen de lucht. In de natuur is het altijd Killing Fields.

Uit mijn zak haal ik een kleine recorder tevoorschijn.

'Ik ben zover!' roep ik zacht naar Sylvie.

'Oké,' fluistert ze terug.

Ik druk op het knopje van de recorder.

Door de nacht klinkt het gespartel en geplons van iemand die in het water ligt.

Mijn stem is hees en angstig als ik om hulp roep. 'Alexander... Alexander... Help!'

We hebben het bandje opgenomen in de badkamer van Sylvie.

Het hele plan is te kinderlijk voor woorden, en alleen maar toepasbaar omdat we ervan uitgaan dat we te maken hebben met een volwassen man met watervrees – iets wat ik nog steeds niet helemaal zeker weet, maar waar ik al mijn kaarten op heb gezet.

'Alexander... Alexander...'

Er gaat een deur open. Ik zie de forse contouren van Alexander. Een lichtbundel schijnt vanuit zijn hand de tuin in.

'Alexander... help!'

Nu sluit hij de deur achter zich en loopt de tuin in, verborgen achter de lichtbundel die langzaam dichterbij komt, alsof hij bang is voor wat hij zal aantreffen.

'Help me, Alexander!'

Hij is bij het bad. De lichtbundel scheert over het water. Er kan maar één ding fout gaan: als hij aan de kopse kant van het bad blijft staan en zo ver van het water verwijderd als nu, zal ons plan mislukken.

Aan de lichtbundel zie ik dat hij aarzelt, maar zijn nieuwsgierigheid wint het, en hij loopt nu langs de lange zijde van het bad, daar waar Sylvie tussen de struiken op hem wacht.

'Help!'

Hij is nu bij de rand van het zwembad en bukt zich om te kijken of ik me misschien dicht bij de kant bevind.

Op dat ogenblik heeft Sylvie gewacht.

In één vloeiende beweging is ze achter hem en voordat hij zich kan omdraaien heeft ze hem een stoot in zijn rug gegeven met de honkbalknuppel die we speciaal voor dit doel hebben gekocht.

Hij wankelt. De lantaarn valt uit zijn hand. Hij doet een stap naar voren om zijn evenwicht te bewaren, struikelt over de rand van het bad en valt. Zijn schreeuw en de enorme plons waarmee hij in het water terechtkomt, klinken synchroon.

Ik heb de recorder uitgezet en ben naar Sylvie gerend.

In het licht van de maan zie ik een volwassen man spartelen die schreeuwend en jankend als een kind om hulp roept. Ik richt het licht van de staaflantaarn op hem en zie zijn uitpuilende ogen en zijn opengesperde mond.

'Kop dicht!' roep ik, en hij slikt een hap water in van verbijstering als hij me ziet.

'Ja, ik ben het!' Ik richt de lantaarn op mezelf. 'En dit is de moeder van Alice. Als je levend uit het water wilt komen, zul je moeten doen wat we zeggen.'

'Laat me eruit, verdomme!' Hij probeert met zijn hand de kant vast te houden, maar Sylvie, die naast me is geknield, buigt zich voorover en geeft er een tikje met de knuppel op. Niet hard.

'Ik ben geen beul,' heeft ze gezegd toen we het plan doorspraken. 'En ik ga hem ook niet doodmaken, maar hij moet wel antwoord geven als ik iets vraag!'

'Ik kan niet zwemmen!' Zo te zien spreekt Alexander eindelijk eens de waarheid.

'Je mag je vasthouden totdat wij denken dat je liegt.'

'Ja, ja...' Hij klemt zich aan de rand vast.

'Met één hand,' zegt Sylvie streng, en hij trekt haastig zijn andere hand terug.

'Vertel,' zeg ik. 'Als we merken dat je liegt, duwen we je onder.'

Ik voel me alsof ik in een slecht toneelstuk speel, maar dat gevoel gaat al snel over als zijn antwoorden komen, met horten en stoten, afgewisseld met gesmeek om eruit te mogen en beloftes dat hij op de kant verder zal praten.

'Waarom moest Alice dood?'

'Ze wilde praten... Jullie zijn gek... Ik kan niet meer...!'

'Waarover wilde ze praten?'

'Mijn vader en Annet...'

'Wat bedoel je?'

Ik ben op de grond gaan zitten omdat ik mijn benen niet meer vertrouw. Mijn moeder en zijn vader – het is een mededeling die ik niet ineens kan verwerken.

'Ik hoorde ze praten... Hij zou thuis weggaan... om haar.' Hij klappertandt, legt twee handen op de rand en probeert zich op te trekken.

Sylvie geeft hem een duwtje met de knuppel. Meer is er niet nodig. Hij plonst in het water, gaat kopje-onder en komt schreeuwend weer boven.

'Verder!' zeg ik. Mijn tong voelt verstijfd, ik kan nauwelijks articuleren.

'Ik studeerde... zat in het corps... mijn vader met mijn vriendinnetje... de scheiding... Iedereen zou me uitlachen.'

Ik leg mijn hoofd op mijn knieën. Ik weet wat er nu komen gaat, ik wil het van hem horen en tegelijk ook weer niet. 'Dat ongeluk met die brommer...' zeg ik.

Hij zwijgt te lang.

Sylvie buigt zich naar hem over en duwt zijn hoofd met de knuppel omlaag, tot het water zich erboven sluit.

Hij komt snuivend en hysterisch brullend weer boven, maar bedwingt zich als ze de knuppel dreigend boven zijn hoofd houdt.

'Het ongeluk!' herhaal ik.

'Dat was gepland... De brommer was gestolen... Annet zat achterop... Ze moest dood. Het moest ophouden...'

'Je hebt haar als oud vuil naast die brommer laten liggen.'

'Maar het was wel gelukt... Mijn vader heeft haar nooit meer gezien!'

Sylvie neemt het over. 'Wat had Alice ermee te maken?'

Alexander is wat rustiger nu hij zich een tijdje aan de kant heeft kunnen vasthouden.

'Ze wist van mijn vader en Annet. Ze zei dat ze met hem ging praten, dat hij verplicht was te zorgen voor het kind. Ik wist niets van een kind... Ik dacht dat ik alles goed geregeld had. En toen kwam zij met dat verhaal en alles begon opnieuw.'

'En toen heb je haar maar doodgemaakt.'

Hij zwijgt.

'Hoe!' Sylvie ramt de knuppel op zijn hand en hij gilt van pijn.

'Geduwd...' Hij jankt als een hond.

Sylvie zit naast me op de grond, als een marionet in elkaar gezakt, zoals ik een tijdje eerder. Om ons heen klinken de geluiden van de nacht. Beneden ons in het water heeft Alexander zijn hoofd op de arm gelegd waarmee hij zich vasthoudt. Het roze van de nieuwe dag verschijnt aarzelend. Het gaat mooi weer worden. De eerste dagvogels komen met veel gekwetter tevoorschijn.

Ik sta op.

Naast me komt Sylvie ook overeind. 'Waar...?' vraagt ze, en ik wijs en zeg dat ze moet oppassen voor de bramen, dat ze bij een bouwval komt en dan naar het plateau met de hoge bomen moet, waar ze niet te dicht bij de rand moet komen.

Ze knikt, geeft de knuppel aan me en loopt langzaam in de richting die ik haar gewezen heb.

'Ik wil eruit!' Alexander heeft antwoord gegeven, dus wat hem betreft is de zaak afgehandeld. Ik hoor het aan zijn stem.

'Het ongeluk van je moeder?' vraag ik.

Zijn stem klinkt verongelijkt: 'Wat heb ik ermee te maken?' Dan zegt hij: 'Mijn vader had altijd kritiek op mij. Ik zei dat hij zijn bek moest houden, dat ik het wist van Annet. Mijn moeder hoorde het... is overstuur het huis uitgerend... weggereden.' Hij legt twee handen op de rand van het bad en probeert zich omhoog te trekken, maar hij is te moe en te koud en glijdt weer terug in het water.

'Heb je je vader verteld dat er een kind was?'

'Waarom zou ik? Een bastaard. *Who cares!*'

Hij weet wat hij zegt en tegen wie, ik zie het aan de uitdrukking op zijn natte, grauwe gezicht. Ik pak met twee handen de knuppel en duw er zijn hoofd mee omlaag. Hij trappelt en slaat met zijn armen om zich heen, maar minder wild dan ik had verwacht.

Het water spat op en doorweekt me. Het is niet makkelijk om hem onder te houden, maar ook niet onmogelijk.

Het enige wat ik daarvoor nodig heb is de walging waarmee je een slijmerig dier kunt doodtrappen, of een man zoals hij onder water kunt duwen, totdat hij steeds minder beweegt, er steeds minder luchtbellen ontsnappen, er steeds minder beweging in het water is. Totdat het stil is.

Ik pak de fles wijn van de tafel en giet hem bijna leeg in de gootsteen, die ik daarna goed schoonspoel, en zet de fles terug op tafel naast het boek waarin hij heeft zitten lezen.

Het glas laat ik in het zwembad zakken, daar waar hij onder water is verdwenen. Daarna pak ik de knuppel, de recorder en de staaflantaarn van de grond en loop naar de auto om op Sylvie te wachten.

Ze is er tien minuten later, bleek en stil, en ik sla mijn armen om haar heen en houd haar even vast.

'Rijd jij maar,' zegt ze.

Pas als de boerderij ver achter ons ligt, zegt ze weer iets. 'Hij was je broer.'

Hoofdstuk 26

Een klein berichtje in de krant:

> Bij zijn boerderij in de Auvergne heeft een buurman
> de 48-jarige Nederlander Alexander Terborg dood in
> zijn zwembad aangetroffen. Aangenomen wordt dat
> hij na te veel drankgebruik in het water is gevallen en
> niet meer in staat was zichzelf te redden.

Het duurt lang voordat ik weer een nacht kan slapen zonder
schreeuwend van angst wakker te worden.

De droom is altijd dezelfde: uit het donkere water van het
zwembad rijst Alexander omhoog. Aan de kant zie ik, verstijfd
van angst, hoe hij naar me toe waadt. Ik weet dat ik moet rennen
voor mijn leven, maar kan me niet bewegen, terwijl de arm van
Alexander dichterbij komt en me het water in trekt, dat zich om
me sluit als een cocon. Telkens weer ben ik verbaasd als ik na die
droom in mijn eigen bed wakker word. Zonder wroeging. Altijd
zonder wroeging.

In overleg met oma – wat niet meeviel – is besloten wat er mee
moet naar de aanleunwoning. De rest gaat weg, en dat is een minder groot probleem.

Ik heb Rogier gebeld en gevraagd of zijn flat nog steeds leeg-
stond, en of ik de huur van hem kon overnemen. Hij had geen

enkel bezwaar. 'Eigenlijk is dat wel makkelijk, voor als het uitgaat met Chantal.'

Dat ik daar een beetje anders tegen aankijk, heb ik voor me gehouden. In elk geval heb ik nu een dak boven mijn hoofd, een plek voor mezelf, die ik moeiteloos kan vullen met de meubels waar opa geen raad mee weet.

Nu het huis leeg is, zie je pas goed hoe armelijk en slecht onderhouden het is. De zuinigheid van de generatie van mijn grootouders.

Nergens in huis is meer een plek die herinnert aan de tijd dat mama nog leefde. Haar sporen lijken uitgewist en alleen met een DNA-onderzoek nog te vinden: een haar tussen de kieren van de plankenvloer, een huidschilfer van haar elleboog op de vensterbank waar ze op een zonnige dag uit het raam leunde. Ik heb nog steeds niet kunnen verwerken wat Alexander me over haar heeft verteld. En begrijpen doe ik het al helemaal niet.

Dat je erover zwijgt dat je een verhouding hebt met een getrouwde man op wie je verliefd bent, kan ik me voorstellen. Maar zwijgen over de moordaanslag van zijn zoon is een ander verhaal. Hoeveel moet mama van die man gehouden hebben om hem die gruwelijke waarheid te willen besparen?

Op een mistige middag in september sta ik met Sylvie bij het pasgedolven graf van Alice. De kist waarin haar beenderen liggen is klein en van wit gelakt hout. Wie niet beter weet zou denken dat hier een jong kind begraven wordt, en zou zich verbazen over de afwezigheid van knuffels en teddyberen.

We hebben witte rozen op het kistje gelegd, en strooien er als het met een paar linten in de kuil is neergelaten met onze handen rulle aarde en bloemen op.

Er zit herfst in de lucht – de geur van afgevallen blad en vochtig mos.

De kalmte die over Sylvie is neergedaald toen de beenderen van haar dochter gevonden waren, is op mij overgeslagen. Het voelt goed om bevrijd te zijn van de onrust van de afgelopen maanden.

Het is benauwd in het verpleeghuis. Kennelijk is het de temperatuur die nodig is om mensen warm te houden die zich nauwelijks meer bewegen.

De man die ik zoek zit in een rolstoel bij het raam van de conversatiekamer, wat een mooie naam is voor een ruimte die gevuld is met mensen die lang geleden hun laatste zinnige woord hebben gesproken.

'Meneer Terborg, bezoek voor u!' zingt de jonge vrijwilligster die me door een wirwar van gangen heeft begeleid.

Hij reageert niet, maar als ze zijn rolstoel een kwartslag draait, kijkt hij me met gefronste wenkbrauwen aan.

'Gezellig, hè, meneer Terborg, dat er weer eens iemand komt?' zegt de vrouw voordat ze vertrekt. 'Dat maken we toch niet vaak meer mee!' En tegen mij: 'U pakt zelf wel een stoel?'

Ik schuif een stoel aan en probeer in het gezicht tegenover me iets te ontdekken dat ooit aantrekkelijk geweest kan zijn voor mijn moeder, maar ik kom niet verder dan het vermoeden dat hij dezelfde charme heeft uitgestraald waarmee zijn zoon zo moeiteloos mensen voor zich wist te winnen.

Hij kijkt terug, en zo zitten we zwijgend tegenover elkaar, waarbij ik het gevoel heb dat we elkaar op een instinctieve manier de maat nemen. Langzaam is het alsof er iets in zijn gezicht verandert, zoals je soms ziet bij mensen die zich iets herinneren waarvan ze dachten dat ze het vergeten waren.

Als ik na een halfuur opsta, strekt hij zijn met levervlekken bedekte hand naar me uit. 'Je ogen,' zegt hij. 'Je ogen.'

'Ik kom terug,' zeg ik, terwijl ik zijn hand tussen mijn beide handen houd. 'Ik beloof het: ik kom terug!'

Meer weten?

Word Facebook-vriendin van Tineke Beishuizen om met haar over haar boek te praten en lees elke week een gouwe ouwe column op www.facebook.com/tinekebeishuizen.

Bezoek ook www.tinekebeishuizen.nl
of volg Tineke op www.twitter.com/Beishuizen.